애들아 너희 다 일등이야

애들아 너희 다 일등이야

김용숙 지음

개미

나는 아이들을 진심으로 사랑하며
행복하기를 염원합니다.

얘들아, 사랑해! 행복하게 자라라!

40여 년 팽이 치는 광대,
참으로 행복했습니다

　　　　　　나는 1970년부터 지금까지 40여 년이나 팽이를 돌리는 '팽이 치는 광대'였습니다.

　이 아이가 쓰러질까 저 아이가 쓰러질까 뛰어 다니며 팽이를 쳐주는 광대였습니다. 팽이를 살리려고 이리 뛰고 저리 뛰다 헉헉대기도 많이 했습니다. 그러나 살아나는 팽이, 우리 아이들을 보며 기운을 얻고 다시 뛰곤 했습니다.

　그 아이들에게서 보람과 행복을 선물 받았습니다.

　교사란 그런가 봅니다.

　아이들은 어느 누구나 무궁무진한 잠재력을 가지고 있습니다. 그 잠재력을 캐내주는 마중물이 교사인 나의 역할이란 걸 알았습니다. 교사가 된 지 꽤 오랜 후에야 알게 되었습니다.

　'아~ 이 반 바가지의 마중물이 우리 아이들의 잠재력인 원

석을 캐내는 교육의 원리였구나!'

아이들은 저마다의 다른 원석으로 영롱한 빛을 발했고, 행복해하며 나 또한 그 원석을 다듬으며 참으로 행복했습니다.

지난해 무던히도 더운 여름.

전부터 잘 알고 지내던 지인을 만났습니다. 그도 중등교사를 한 터라 우린 얘기가 통합니다. 그와는 교육적인 관심사로 만날 때마다 아이들 얘기를 주로 하는 사이입니다.

처음에는 자식얘기, 손자얘기, 그러다 학교 아이들 이야기로 시간 가는 줄도 몰랐습니다.

그는 뜬금없이 다그치듯 재촉했습니다.

"선생님, 우리가 하고 있는 이 이야기를 책으로 만들면 어떨까요? 교직 후배들이나 엄마들에게 꼭 들려줘야 할 이야기들이에요. 아니, 모두가 들어야 할 너무나 귀한 얘기예요. 그냥 우리만 얘기하다 끝낼 일이 아닙니다."

"무슨 소리예요? 나는 글을 쓸 줄 모릅니다. 게다가 책을 만들라고요? 나 못해요!"

펄쩍 뛰었다. 그러나 그는 간곡히 나를 설득시켰습니다.

"그래요. 써 볼게요. 우리 아이들 모두를 일등으로 만든 원 하나를 다시 굴려 볼게요."

그날부터 자료를 찾기 시작했습니다.

2학년 아이들과 함께 만든 빛바랜 문집 1호, 2호. 그리고 아이들의 정성 어린 편지글, 엄마들의 아이 사랑과 선생님에 대한 고마운 마음이 담긴 편지글 또 동료 교사, 윗분의 격려의 메시지들, 어느 것 하나 버릴 수 없어 책상 속에 차곡차곡 모아둔 것이었습니다.

어느 해부터 모은 것인지, 창고 안에는 행복한 이야기가 수북이 쌓여 있었습니다. 신문에 난 기사, 아이들 공연 비디오테이프, 수업 비디오테이프까지 이것저것 많이도 모아져 있었습니다.

가끔은 나를 설레게 하고 가끔은 나를 미소 짓게 하는 행복한 내 이야기입니다.

그러나 이 이야기는 선배님들의 이야기이기도 하며 동료들의 이야기며 후배 교사들의 이야기라고도 생각합니다. 그것들을 다시 펼쳐 보며 고마운 마음, 감사한 마음으로 다시 나를 설레게 하고 행복하게 해주었습니다.

우리 아이들이, 우리 엄마들이, 선배님들이, 후배와 동료들이, 어렵고 힘든 교사의 길을 가도록 내게 용기를 주었고 행복하게 해주었습니다.

이들에게 받은 '감사합니다!', '고맙습니다!' 다섯 글자에 들어 있는 엄청난 그들의 마음이 아직도 나를 설레게 하고 행복하게 합니다.

이제 그들에게 되돌려 주고 싶습니다. 아직도 설레고 행복한 내 마음을, 그들에게 받은 백배 아니 천배로 모두 돌려주고 싶습니다. 이들에게 이 마음을 되돌려 주고 싶은 충동이 일기 시작했고 졸필이나마 써보겠다는 용기가 일어났습니다. 내 이야기가 다른 누구에게 도움이 되기를 바라면서……

그러나 그 많은 이야기를 이 책에 다 옮기지 못함이 아쉽습니다. 빙산의 일각이겠지만 마음만은 함께 실으려고 애썼습니다.

글을 쓰려니, 컴퓨터 워드도 힘들었고 어휘 능력도 부족했지만, 그 당시 있었던 상황 그리고 그때의 생각과 느낌을 그대로 진솔하게 표현하려고 노력했습니다. 여기에 나오는 대부분의 이름도 실명으로 한 이유입니다.

이 책이 나올 때까지 존경하는 두 분 강정원 교장 선생님, 김경희 교장 선생님께서 많은 응원을 해주셨습니다. 나의 이야기에 귀 기울여 주셨고 나의 이야기에 함께 행복해 하셨습니다.

교육에 대한 많은 이야기도 나눌 수 있어서 참으로 감사했습니다.

내가 가르쳤던 우리 아이들과 엄마들은 물론 많은 사람이 이 책을 읽고, 나의 이야기가 행복을 선물하는 매개체가 되기를 진심으로 바랍니다.

아이들은 누구나 잠재된 능력이 무한합니다. 그 능력을 캐내주는 마중물이 돼야 합니다. 그리고 기다려 줘야 합니다. 그래서 아이들이 행복해야 합니다. 나는 아이들을 진심으로 사랑하며 행복하기를 염원합니다.

　애들아, 사랑해! 행복하게 자라라!

　이 마음을 갖고 떠나는, 너무나 소중하고 행복한 추억여행, 나 혼자 떠나기에는 아쉬워 당신을 초대합니다.

　"자~ 저와 함께 행복한 추억여행 떠나 보자고요!"

2019년 1월
김용숙

자화상

모두가 잘난 우리 아이들
모두가 일등인 우리 아이들

어느 한 가지 부러울 게 없는 당당한 모습들
자신감이 넘치고 행복한 미소가 번지는 우리 아이들

내 팔에
온몸에 힘이 빠진다
온몸에 파르르 전율을 느낀다
가슴만이 콩캉콩캉 뛴다

시골 초등학교 시절 운동회 달리기에서 떨며 빌던 꼴찌
일등을 빈 게 아니라 꼴찌 그대로도 좋으니
앞사람하고 가까이 붙어 가기를 소원했던 꼴찌

그 꼴찌
교사가 되어

우리 아이들 모두를 일등으로 만든
큰 원 하나를 굴리며

마냥 행복해 하는 꼴찌 김용숙
꼴찌, 김용숙
넌 해냈다, 넌 훌륭해

우린, 잘 났어 정말!

모두가 일등인 우리 아이들 덕에
꼴찌인 나도 감히 어깨 으쓱해보렵니다

이 책이 학부모의 역할과
교사들의 수업지도에
많은 참고가 될 것으로 기대

오늘의 초등학교는 다양한 생각으로 넘쳐납
니다.

개성과 성격이 다른 아이들. 학부모들의 바람과 요구. 교육
에 대한 선생님들의 마인드와 사고방식이 모두 다릅니다.

이렇게 다양한 난제를 조금이나마 풀어줄 수 있는 책이 있어
소개합니다.

이 책은 김용숙 선생님의 추억여행이 담긴 이야기입니다.

김 선생님은 초등학교 교사로 40년 이상을 근무하고 정년퇴
임을 하셨습니다.

선생님의 마지막 학교인 인천 먼우금초등학교에 같이 근무
를 하였습니다.

아이들 하나하나의 개성과 특성을 찾아내고 존중해 주며, 다
양한 자료를 활용한 아이들 중심의 수업, 그러한 수업활동과

연계한 학예활동은 마치 뮤지컬을 보는 듯하였습니다.

자녀를 둔 엄마들의 심정을 족집게 같은 상담활동으로 고민을 말끔히 해소시켜 주었습니다.

일선 교사들의 가려운 점을 지도해줄 리얼리티한 사례도 담고 있습니다.

이 책을 통해서 학부모의 역할과 교사들의 수업과 생활지도에 많은 참고가 될 것으로 생각하며, 김용숙 선생님의 『애들아 너희 다 일등이야』 책이 많이 읽히길 기대합니다.

— **허재영** 인천 송일초등학교 교장

모든 아이들에게
일등을 안겨주고
싶었던 선생님

> 복 받았네 복 받았네/ 김용숙 선생님이 우리 4반
> 담임이시라네/우리 3학년 4반 친구들 모두 복 받았네/ 너무 좋
> 아 너무 좋아/ 덩실덩실 춤이라도 추고 싶네.
> — '복 받은 우리반' 전문, 3학년 최유리

이 책의 저자이신 김용숙 선생님이 담임이 되어서 너무 좋다
는, 당시 3학년 최유리 학생의 일기 내용이다. 저자의 초등학
교 40년 교직생활이 쉽게 짐작된다. 선생님은 제자의 이 일기
를 읽으면서 얼마나 가슴이 벅찼을까. 『애들아 너희 다 일등이
야』 책 제목에서 보여주듯이 모든 제자에게 서열 없이 일등을
안겨주고 싶은 선생님의 마음이 책 곳곳에 넘쳐난다. 교육현
장에서의 작은 단상들이 특별한 포장도 없고 형식도 없이 독
자를 만난다. 그러나 읽는 이는 그 무엇보다도 황홀한 포장으
로 그리고 최고의 형식까지 갖춘 선물을 받은 것만큼 가슴이

뭉클하다. 아이들이 즐거워하고 모두가 자신의 특성을 살려내는 신바람 나는 학교생활. 요즘 같은 세상에 어디 가당키나 한 소리인가. 학생들이 원한다고 40명 전원을 집으로 초대해 장기자랑도 하고 실컷 놀게 하고 안 가겠다는 10명 학생은 하룻밤 재워 보내는 선생님. 이러한 자유로운 학교생할 속에서도 일제고사는 반 1등 차지. 그저 입만 떡 하니 벌어지는 믿을 수 없는 이야기의 연속이다.

이쯤 되면 저자를 한번쯤은 만나보고 싶은 마음이 드는 게 독자로서의 인지상정 아닐까.

저자는 내게 15년 여고 대선배이시다. 까만 교복에 풀 먹여서 빳빳한 하얀 컬러를 매일 다려서 입고 다녀야 했던 시절이었다. 단정한 교복 입은 선배님 모습이 바로 그려진다. 그때도 선배님은 지금처럼 늘 환하고 아름다운, 미소가 예쁜 여학생이었을 게다.

인생의 작은 단상을 흐뭇한 미소로 채워 넣고 싶은 분들께 선물과도 같은 책이다. 사랑합니다! 선배님.

— **이경화** 방송작가

아이들을 최상으로
사랑한 선생님

"복 받았네 복 받았네."

그녀는 복 받은 게 틀림없다.

그녀의 반이 되었다고 너무 좋아 덩실덩실 춤이라도 추고 싶다는 아이들이 있다는 게 교사의 길을 걸었던 사람이라면 얼마나 큰 행복이며 그 이상의 감동은 없을 것이다.

그러기에 그녀는 남들보다 더 분주했고, 그 누구보다 할 일이 많았으며, 그 많은 반 아이들을 지금까지 하나하나 기억하여 방대하고 소중한 추억들을 차곡차곡 쌓아, 이렇듯 결실을 맺게 되지 않았을까?

김용숙 선생을 처음 만난 건 그녀가 지금의 내 나이 즈음 우리 아이의 담임으로 만났다. 가끔은 아이들을 데리고 연습실로 쳐들어와 노래지도를 부탁해오는 귀찮은 '열정가'였다. 때로는 속얘기를 잘 들어주는 친정엄마 같기도 했다. 내가 생각하는 그녀는 누구보다도 아이들을 최상으로 사랑하는 '천상'

교사였다.

달리기를 꼴등하던 아이가 교사가 되어 수천 명의 제자들을 그리워하며 써내려간 그녀의 '둥그런 원', 진정 그녀는 1등 교사다.

많은 교사들이 이 책을 읽고 둥그런 원 하나를 함께 굴리는 참교사가 되기를 희망해본다.

— **조화현** i-신포니에타 단장

잠재력을 캐내
마중물이 되어주신 선생님

한 폭의 수채화 같이 맑고, 아름다운 동화 같은 책입니다.

내 어린시절 초등학교의 교실로 되돌아가 단숨에 읽어 내려 갔습니다. 함께 여행하며 그때의 향수에 젖어 공감하고 설레고 행복했습니다.

아이들 한 명 한 명에게 마중물이 되어주신 선생님, 그 아이들의 개성과 특성을 살려 모두가 일등이 되는 원 하나, 처음과 끝이 없는 '아이들 모두가 1등인 원 하나!'

우리 아이들 모두가 얼마나 많은 자신감을 가지고 행복했을 까요?

김용숙 선생님의 40여 년간의 교육에 대한 열정, 아이들에 대한 사랑이 내 가슴에 따뜻하게 와닿았습니다. 참으로 따뜻했습니다.

벌써 오래된 내 아이들의 초등학교 앨범을 펼쳤습니다. 젊은 모습의 선생님이 인자한 모습으로 활짝 웃고 계셨고 지금은 성인이 된 내 아이가 천진난만하게 웃고 있었습니다.

김용숙 선생님으로부터 교육받은 아이들과 학부형님들 모두 행복했으리라 생각하며 사랑의 교육이란 이렇게 사람을 행복하게 만드나 봅니다.

김용숙 선생님! 진심으로 존경합니다.

보다 많은 사람들이 읽고, 이 책을 통해 가슴 따뜻함을 공유하고, 우리 아이들이 행복하게 되는 매개체가 되기를 바랍니다.

— **위기형** 사업가

차례

애들아 너희 다 일등이야

제1부
교사의 길

제2부
교실은 즐거운 곳

제3부
모든 아이에게 사랑을

제4부
꿈과 희망을

제5부
보물창고

봄의 기원(33×24.5㎝) 유화 캔버스 2019

제1부

교사의
길

첫 발령지

1970년 3월 20일 안성군 금광초등학교에 처음으로 발령받
았다. 6학급짜리 조그마한 농촌 학교였다. 여교사가 없는 학교
에 내가 부임한 것이다.

내 호칭은 김용숙, 김 선생이어야 하는데 여자 선생이라고
"여선생님, 여선생님!" 이렇게 여선생님이 나의 호칭이 되었
다.

부임 첫날, 교장 선생님이 마련해준 숙소로 안내되었다. 학
교에서 냇가 하나 건너야 하는 먹뱅이라는 동네다.

"학교 근처는 전깃불이 있어서 편할지는 모르지만 불량배들
도 있고 좋은 동네가 아닙니다."

교장 선생님은 냇가의 돌다리를 건너며 말씀을 이어갔다.

"이곳은 농촌이지만 학교 위편에 금광저수지가 있어 유흥지
나 마찬가지거든요. 전깃불이 안 들어와도 여선생님이라 안전
하라고 이곳에 숙소를 마련했습니다."

특별히 나를 배려해서 교장 선생님께서 얻어 놓은 방이었다.

"전기가 안 들어오면 여러 가지가 불편할 텐데요."

서울에서 내려온 나로서는 볼멘소리가 나올 수밖에 없었다.

이윽고 내가 살 집에 들어가는 순간 우리 엄마를 닮은, 포근하고 정겨운 아주머니가 나를 반겨주었다. 불안하고 걱정스럽던 마음이 눈 녹듯 확 녹아내렸다. 교장 선생님의 배려가 감사했다.

"어서 오세요. 이런 누추한 집에 오시게 돼서 어쩐대요? 그래도 정붙이면 살만 할 거예요."

내가 들어갈 방은 큰아들 장가보내면 주려고, 새로 이어 만든 새 방이었다. 아들 장가보낼 때까지 내가 살 수 있는 집이었다. 아버지는 안 계시고 위로 아들이 둘이고 딸이 아래로 둘, 2남 2녀를 둔 다섯 명의 가족이 살고 있었다.

저녁이 되자 동네 아주머니 대여섯 분이 오셨다. 내가 왔다는 소식을 듣고 인사를 오신 것이다. 나를 보자마자 큰절을 올리면서 살가운 표정들이었다.

"먹뱅이에 경사가 났네요. 우리 동네에는 면서기 한 명이 사는 동네인데 선생님까지 살게 됐으니 이런 경사가 어디 있습니까?"

나는 이런 환대에 몸 둘 바를 몰라 쩔쩔 매며 떨리는 목소리로 말하였다.

"아무것도 모릅니다. 잘 부탁드립니다."

지금도 그때 생각을 하면 얼굴이 닳아 오르고 화끈 거린다.

먹뱅이는 금광산 밑자락에 스물세 가구가 옹기종기 모여 가난하지만 평화롭게 사는 작은 동네였다.

내가 살고 있는 주인집은 남편 없이 근근이 살아가는 가난한 집이었다. 깜짝 놀랐던 것은 일 년에 두 번은 고기를 먹을 것이라고 생각했는데, 설날 떡국도 그냥 간장으로만 끓여 먹는다. '이렇게도 사는 거구나!' 불평불만 없이 서로 위하며 행복하게 사는 모습에 머리가 저절로 숙여졌다. 가끔, 간장만 넣고 끓인 그 떡국이 먹고 싶다. 지금도 그 맛이 날까?

동네에서 모심을 때라든지 타작을 할 때면 학교를 다니는 아이가 있건 없건

"김 선생님! 우리집에 와서 밥 먹어요. 오늘 우리집 모심어요. 반찬은 없지만……"

나는 거절하지 않고 염치없이 그 집에 가서 맛있게 밥을 먹었다. 농번기 한 달여 동안이나 여러 집을 전전하며 밥을 얻어먹은 것 같다.

퇴근길에는 머리가 하얀 할머니가 자주 반겨 주었다.

"할머니! 안녕하세요?"

"아이구! 지금 오시네. 힘들었지? 나 같은 팔십 노인네도 좋아하고, 네 살배기 애기들도 좋아하는 우리 선생님 고맙수!"

먹뱅이 동네 식구들하고는 아주 각별히 가족 같이 친하게 지

냈다. 아직도 그렇게 순수하고 정겨운 마을이 있을까? 그리워 한걸음에 달려가고 싶지만 그 마음을 누르고 누르고 또 누른다. 변해 있을 그 마을 풍경과 인심이 두려운 게다. 내 마음속에 그대로 남겨두고 새록새록 꺼내 보려고.

마중 나오던 그 할머니야 안 계시겠지만 안집 아주머니 미옥 엄마, 담 너머로 반찬이며 간식 넘겨주시던 영희 엄마, 성구 할머니 그리고 정겹고 포근했던 그 마을 모습까지도 오늘 따라 더욱 그립고 보고 싶다.

내 친정, 내 고향 충남 부여 내 산보다, 먹뱅이가 훨씬 더 그립다.

두렵고 설레는 마음으로

"하나! 둘!"

"셋, 넷!"

"하나! 둘!"

"셋, 넷!"

교사인 내가 "하나! 둘!" 하면 아이들이 줄 맞춰 따라오며 "셋, 넷!"

가슴에 하얀 손수건을 달고 처음 입학한 1학년 꼬맹이들의 운동장 수업 장면이다.

첫 발령 다음해 1학년을 맡았다. 지금은 입학식 첫날부터 교실로 들어가지만 그 시절에는 운동장 수업이 한 달 정도 되었던 것 같다. 줄서기, '앞에 나란히! 차렷! 열중쉬엇!', 노래랑 유희, 줄 맞추어 걷기……

봄이라고는 하지만 3월 초는 겨울보다 더 추울 때가 많았다. 가난하던 시절이라 따뜻한 점퍼도 입지 못했다. 몹시도 추웠던 어느 날 운동장에서 구령 따라하며 걷기를 하는데 맨 앞에서 걷던 진숙이가 콧물을 줄줄 흘리며 울음을 터뜨리고 말았다.

"선생님, 너무 추워요. 나 집에 갈래요. 너무 추워요!"

"진숙아, 조금 참고 하자. 학교 오면 추운 것도, 힘든 것도 이겨내야 해."

그러나 진숙이를 비롯하여 우리 아이들 모두가 이구동성으로 목소리를 높였다.

"선생님, 너무 추워요. 얼어 죽을 것 같아요!"

사실 나도 추워 죽을 것 같았다. 황급히 교실로 들어갔지만 난로도 없이 바람막이 교실일 뿐이었다.

지금도 학기 초 추운 날이 되면 어김없이 첫 발령지 금광초등학교 진숙이 생각이 나곤 한다. 왜, 그리 추웠던지. 또 코흘리개는 어찌 그리 많았던지. 가슴팍에 단 수건은 아까워 못쓰고 수시로 아이들 누런 코를 손으로 연신 닦아줘야 했다.

잊지 못할 소풍 이야기다. 금광저수지 옆 햇볕 바른 평편한 잔디밭이 학교가 정해놓은 소풍지였다. 예쁜 옷도 없었지만 그래도 깨끗이 빨아 입은 옷을 뽐내 입고 아이들은 마냥 즐겁다. 도시락 반찬이 김치와 무장아찌에서 계란 반찬으로 바뀐 것밖에는 별다른 게 없었다.

'아! 소풍 간다고 떡하는 집도 있었구나? 선생님도 드리고

동네 사람들도 나누어 먹고 싶다면서……'

소풍지에 도착하자마자 아이들이 한 명씩 달려와서 내 앞에 놓고 가는 게 있었다. 너무나 깜짝 놀랐다.

"아니? 애들이?"

껌 한 통, 눈깔사탕 한 개, 건빵 한 봉지, 크게는 사이다 한 병……

선생님께 드리는 선물이 그들의 소풍 간식 전부였다. 그때 그 시절에는 참으로 선생님을 위하고 따르고 존경하던 시절이었다.

가을 운동회가 다가왔다. 햇병아리 선생에다 운동, 무용, 노래 다 잘 못하는 나인지라 처음 맞이하는 운동회가 이만저만 큰 일이 아니었다.

교감 선생님까지 담임하는 6학급 작은 학교에 여교사는 나 하나인지라 부담 백배.

여름방학 때 운동회 무용강습을 받지 않을 수가 없었다. 강습받는다고 잘할 수 있는 내가 아니지만 그렇게라도 해야만 했다. 아까운 첫 여름방학을 반납하며.

1~2학년 무용, 3~6학년 마스게임, 5~6학년 고전무용.

운동장에서 저녁때까지 연습은 계속되었다. 그 시절에는 아이들이 학원을 가지 않았기 때문에 늦게까지도 연습이 가능했다.

녹초가 된 몸을 이끌고 길게 늘어진 교정의 미루나무 그림자를 뒤로 하고 터벅터벅 걷는다. 먹뱅이 개울 돌다리를 건너오면 영희 엄마가 반갑게 맞이하며 말을 붙인다.

"아이구! 김 선생 녹초 됐네. 그런데 열까지도 못 세면서 어찌 선생 노릇을 할까? 하하하!"

"네에?"

"하루 종일 일곱, 여덟까지밖에 안 들리던데? 하하하!"

그제야 알아듣고

"아~예, 그러게요. 열도 못 세는 데 선생 노릇 하고 있네요."

호탕하게 웃으며 재치 있는 입담으로 나를 놀리는 영희 엄마가 친구처럼 정답다.

여자 선생 하나라서 그렇게 힘들게 운동회를 하였다. 잘했다는 평도 받았으나 위로의 말이리라.

날씨가 추워지기 전에 교실에는 난로가 설치된다. 전교생 모두가 난로에 땔 나뭇등걸과 삭정이를 주우러 학교 근처 야산에 간다. 체육시간을 이용하기도 하고 점심시간을 이용해서라도 매일 시간을 내어 자기 반 땔감을 준비하는 것이다.

연기도 나고 불조심도 해야 하지만 불이 당겨지면 교실 안은 참으로 따뜻하다. 거기에다 도시락을 데우는데 아래 위 도시락을 번갈아 갈아줘야 한다. 알맞게 데워주는 기술 또한 필요하다. 자칫하면 까맣게 타버린다. 양철 도시락 안에 따로 반찬

통이 없는 도시락이 대부분이다. 밥 옆에 김치나 무장아찌를 넣기 때문에 데우면 반찬 냄새가 코를 진동시켰다.

"선생님, 배고파요! 밥 먹고 공부해요!"

배고팠던 시절이다.

지금도 텔레비전에서 자주 등장하는 난로에 도시락 데우는 장면이다. 추억의 양철 도시락을 메뉴로 하는 음식점에 친구들이랑 가끔 들러 그때의 향수를 맛본다.

돌이켜 보면 아름다운 추억이지만 아무것도 모르는 철부지 햇병아리 교사인 내가 아이들을 제대로 가르쳤을까? 얼굴이 화끈 달아오를 때도 많다.

이제는 손자 손녀를 둔 젊은 할머니 할아버지도 있겠지?

이름도 기억 못하고 얼굴을 마주쳐도 몰라보겠지만 그립고 보고 싶다.

빛의 속도로 빠른 세월 앞에……

교사는 아이들을 행복하게 해주는 것

　교육대학에 입학했을 때, 교육학 교수님이 우리들에게 질문을 하셨다.

　"학생 여러분! 교육이란 대체 무엇일까요? 여러분은 아이들을 교육시키기 위해서 즉 교육자가 되기 위해서 교육대학에 들어왔는데, 교육이 뭔지 알아야 될 거 아닙니까?"

　학생들은 조용히 교수님만 쳐다보고 있었다. 교수님은 잠시 학생들을 둘러보며 말을 이어갔다.

　"교육이란 학생들을 변화시키는 거예요. 그런데 어떻게 변화를 시킬까? 학교 교육이란 아이들에게 지식을 가르치고 품성과 체력을 길러 아이들을 바람직하게 변화시키는 겁니다."

　교사 생활을 하면서 교수님의 이 질문이 머릿속에 항상 맴돌고 있었다.

　'어떻게 해야 아이들을 바람직하게 변화 시킬 수 있을까?'

교사 생활을 한참 한 후에야 나의 확실한 교육관이 확립 되었다.

'좋은 교사가 되자. 아이들 모두를 사랑하는 교사가 되자. 우리 아이들 각자가 가지고 있는 개성과 잠재되어 있는 무한한 특성을 살려 주자. 그래서 우리 아이들 모두가 자신감을 가지고 신나고 즐거운, 행복한 학교 생활을 하도록 하자.'

교사는 아이들을 행복한 아이로 자라도록 해야 한다. 아이를 행복한 아이로 자라도록 해주는 것이 진정한 교사의 할 일이자 목표다.

교사는 아이들을 사랑해야 한다

내가 맡은 우리 아이들 모두를 사랑한다는 것, 행동이 아니고 머릿속으로만, 그리고 말로만 하는 건 아닌가? 더러는 미운 아이도 있고 마음에 들지 않는 아이도 있다. 무엇 때문에 미울까? 나, 그리고 우리 어른들의 잣대로 재어서 그런 건 아닐까? 천천히 자세히 살펴보면, 어떤 아이든 그 아이만이 가지고 있는 그 무엇이 있다. 그 무엇을 찾아내게 되면 그 아이가 소중하고 사랑스러워진다. 그 아이를 인정하고 사랑해주면 그 아이는 행복해짐을 교사를 하면서 수없이 보아왔다.

아이들이 말을 하지 않아도 눈빛과 표정으로 행복함을 교사는 알 수 있다. 아이에 대한 관심이 곧 아이 사랑이다.

교사는 수업이 생명이다

교사는 아이들에게 지식을 가르치는 것이 주 업무다. 아이들은 모르는 것을 알게 되었을 때 기뻐한다.

아이들을 잘 가르치려면 교사의 수업 기술이 필요하다. 충분한 수업 연구를 하고, 그 시간의 수업을 극대화시키기 위한 수업자료도 준비해야 한다. 가끔 공개수업 시 많은 자료를 이용하는데, 불필요한 자료는 오히려 수업의 질을 떨어뜨린다. 그 수업에 맞는 최상의 자료를 투입해야 한다. 교사의 전문성이 요구된다. 한 시간도 그냥 소홀히 지내서는 안 된다.

해당 학년에서 배워야 할 기초학력을 반드시 길러줘야 한다. 전 학년에서 길러야 할 기초학력을 학기 초에 확인하여 부족함이 없도록 개인별로 세심히 살펴 보완해야 한다. 그래야 당해 학년의 기초학력을 기를 수 있다.

상위권의 아이들은 어느 누가 가르쳐도 잘한다. 소위 하위권이라는 아이들을 중위권, 상위권으로 함께 이끌어 주어야 진정 교사다운 교사의 역할이다.

교사는 아이들에게 꿈과 희망을 심어 줘야 한다

먼저 아이들에게 스스로 하는 힘을 길러 주어야 한다. 아이가 스스로 할 수 있도록 도와주고, 기다려주고 길을 터 줘야 한다.

아이들은 스스로 할 때 기쁨을 누리며 행복해하고 자신감을 갖는다. 교사는 아이들의 무한한 잠재력과 가능성의 원석을 캐내기 위해 마중물이 돼야 한다. 저마다의 색깔을 가진 아이들이다. 기다리고 다독이면서 아이들 하나하나의 아름다움을 눈여겨 봐야 한다.

학업 성적이 우수하여 좋은 대학에 들어가는 것도 중요하지만, 많은 체험을 통하여 재능과 나만의 색깔을 찾아내어 내가 하고 싶은 일 그것을 향해 가는 것이 아이들의 희망이자 꿈이 아닐까? 아이들은 꿈과 희망을 갖고 성장하며 변화한다. 아이들이 성장하며 변화하는 것을 맛보는 일은 교사만이 가질 수 있는 무엇과도 바꿀 수 없는 행복감이다.

교사는 아이를 믿어줘야 한다

아이를 믿고 소통하는 가운데 아이의 잠재력을 끄집어내고 행복한 삶을 이끌어 주는 것이다. 타고난 능력도 중요하지만 얼마만큼 긍정적으로 아이에 대해 신뢰를 할 수 있는가가 더 중요하다. 아이를 믿어 주는 것은 어느 칭찬보다 최고의 칭찬이다. 특히 부모님과의 신뢰도 아이들 믿음만큼이나 중요하다.

교사는 아이들에게 좋은 말을 해야 한다

어떤 경우에도 아이가 상처받을 말을 해서는 안 된다.

옛말에 '말 한마디가 천냥 빚을 갚는다'는 말이 있다. 그리고

'한마디의 말이 인생을 좌우 한다'고 하지 않는가?

한번 뱉은 말은 주워 담을 수도 지우개로 지울 수도 없다. 무심코 한 말이 아이에게 크나큰 상처가 된다.

아이에게 적절히 좋은 말을 해야 한다. 단점을 찾지 말고 장점을 찾아 칭찬하고 격려한다. 그것이 아이들의 인생을 좌우할 교사의 역할이다.

교사는 아이들을 안전하게 보호해야 한다

신체적인 안전, 정신적인 안전, 환경적인 안전, 친구관계 등을 잘 살펴야 한다.

바른 생활 습관, 인성지도를 수시로 지도하고 확인해야 한다. 특히 왕따를 당하는 아이는 없는지 세심한 관심을 가지고 미리미리 살펴야 한다.

교사는 아이들이 안심하고 즐거운 마음으로 학교 다니도록 최선을 다해 보살펴야 한다. 우리 아이들이 안전하고 건강한 어린이로 자라도록 해야 한다.

학부모 중 은진 엄마의 편지글 일부를 인용한다.

'사람은 누구나 행복하기를 원합니다. 특히 내 아이가 행복하기를 원합니다.'

아이들을 행복하게 해주는 것이 교사의 진정한 교육목표이다.

달리기 꼴찌, 모두 일등의 밑거름

'슬기로운생활' 시간에는 아이들이 경험하지 못한 것을 지도할 때가 많다. 영상으로 수업하던 시절도 아니었다. 한옥과 양옥의 구조비교, 마을의 모습 그리고 전통놀이 등을 지도할 자료가 적었다. 그래서 시작하게 된 것이 우리 아이들이 좋아하는 선생님 어렸을 적 이야기였다.

"애들아! 선생님 어렸을 적에는……"

이 말만 나오면 모두가 귀를 쫑긋 세우고 조용해진다. 아이들은 정말 좋아한다. 집에 가서도 들은 이야기를 엄마한테 자랑한단다. 나는 칠판에 우리 시골 기와집을 그려놓고 옆집 단짝 친구였던 딸그만이라는 친구네 초가집도 그려 가면서, 나의 이야기에 나도 빠져 들어간다.

"선생님 어렸을 적 얘기해주세요! 얘기해주세요."

아이들은 선생님 어렸을 적 이야기 듣기를 원한다. 거의 매일 조금씩 조금씩 하게 된 것이 '선생님 어렸을 적' 시리즈가

돼버렸다. 선생님 친구 이름까지도 다 안다. 양자, 영옥, 홍수, 딸그만……

"따옴표"라는 학교신문에 연재한 '선생님 어렸을 적' 코너에 쓴 글이다. 그 이야기 맨 마지막 부분 '가을 운동회 이야기'를 우리 아이들에게 많이도 들려줬다.

우리 아이들 모두가 일등인 원 하나를 만들기 위해. 내 부끄러운 꼴등 이야기를……

선생님 어렸을 적엔(학교신문 "따옴표"에 일부 연재된 글)

애들아! 선생님은 어렸을 적에 아주 시골에 살았단다. 학교는 2km쯤 떨어진 곳에 있었지. 학교 갈 때는 언제나 딸그만이란 동네 친구와 항상 같이 다녔지.

내 친구 딸그만이는 마음씨가 곱고 착했어. 딸그만이라는 이름 재미있지? 딸그만이네는 엄마가 딸만 여섯을 낳았거든. 그래서 딸그만이를 낳았을 때, '제발 딸은 이제 그만!' 그래서 이름이 딸그만이란다. 그런데 동생도 또 딸이라서 칠공주집이 되었고 딸그만이네는 아들이 없었어.

하기야 선생님도 다섯째 딸이야. 위로 언니 넷, 남동생 둘, 여동생이 하나 더 있어서 2남 6녀였지. 형제가 많았어.

딸그만이와 선생님은 둘이 단짝이었어.

애들아, 선생님 어렸을 적에는 실내화 주머니와 다른 학용품

가방은커녕 책가방도 없었단다. 책가방 대신 보자기로 책을 싸서 허리에 묶고 다녔기 때문에 언제나 자유로웠지.

지금 너희들이 무거운 가방을 들고 다니는 것을 보면 안타깝기도 하고 선생님 어렸을 때가 더 그리워진단다.

학원이란 것을 전혀 모르던 시절이라 시간에 쫓기지도 않아 가난했지만 항상 마음이 편안했지. 그래서 매일매일 즐거웠어. 학교 끝나고 집에 올 때면 게임기 '닌텐도'가 필요 없었어. 너무나 재미나고 신나는 일들이 우리를 기다리고 있었거든.

진달래 필 때면 산으로 뛰어다니며 진달래꽃 따먹고 진달래꽃으로 꽃방망이도 만들었어. 참 예뻤지.

보리이삭 익을 무렵이면 보리이삭을 따서 불에 살짝 그슬려 먹고, 목화밭 옆을 지날 때면 목화 열매를 따먹다가 들켜 동네 할아버지가 학교까지 쫓아와서 혼나기도 했어.

목화솜 될 것을 따먹어 아깝다고 혼내시기도 했지만, 우리들 똥구멍이 막힌다고 걱정되셔서 더 혼내셨어. 그 열매가 목화솜이 되는 것 너희들 책에서 읽어 알지? 아주 연한 열매만 먹어야 하는 데 혹시 섬유질이 많이 생긴 것 먹어 항문이 막힐까봐 걱정이 되시는 거지. 그렇지만 우리는 다 알아서 연한 것 달착지근한 것만 먹곤 했지.

무밭을 지나다가 배고프면 무를 뽑아 흙을 옷에 쓰윽 닦고 껍질 벗겨 먹고, 수박서리 콩서리 너무나 즐거웠단다.

그러나 그때는 그런 것이 죄악시 되지는 안했어. 먹을 것이

워낙 없던 시절이고 동네 인심 좋고, 한 동네가 거의 친척이었거든. 다음부터는 그러지 말라고 훈계만 했지.

더운 여름은 더 신났지. 완전히 우리의 전용 수영장이 기다리고 있거든. 집에 오려면 2Km쯤 되니까 햇빛이 쨍쨍한 여름날에는 무척이나 더웠어. 집 대문 앞에서 책보자기 휘익 던져 놓고 우리의 전용 수영장인 냇가로 딸그만이랑 영옥이랑 양자랑 뛰어갔지. 귀에 물들어 간다고 콩잎 뜯어 귀에 막고 홀홀 팬티까지 벗고는, 그냥 물속으로 풍덩 들어가 물장구치고 개헤엄하고 물싸움하고 정말 신났었어.

배영하다 바라보는 하늘은 얼마나 아름다웠던지, 파란하늘에 하얀 뭉게구름, 양털구름, 새털구름, 시시각각 변하는 한 폭의 그림이었지.

지금은 그런 아름다운 하늘은 볼 수가 없어서 참으로 속상해. 그리고 너희들한테 그 맑은 하늘에 떠 있는 아름다운 구름을 보여줄 수가 없어서 안타깝단다.

그런데 애들아, 그 맑던 하늘이 그 하얗던 뭉게구름이 갑자기 먹빛 소나기구름이 되어 순식간에 몰려오는 거야. 정말 순식간에. 그러더니 굵은 빗줄기가 좌악좌악 내리는 것 아니겠니? 그래도 우리는 깔깔깔 웃으며 물속으로 들어가 잠수도 하고 비를 피했지.

소나기가 지나가고 언제 그랬냐는 듯 햇빛이 쨍 나니까 산밑으로 빨주노초파남보 무지개가 떠 있는 거야. 우리는 다 같이 함성을 지르고 노래도 부르고 난리도 아니었어. 가끔 그때의 무지개가 그립지.

그렇게 즐거웠는데 옷을 입으려니 옷이 소낙비로 다 젖어 있는 거야. 냇물에 헹궈서 젖은 채로 입고 집으로 뛰어오는 거지.

저녁에는 모깃불 피워놓고 평상에서 온 가족이 둘러앉아 저녁밥을 먹고는 다시 딸그만이를 불러 한바탕 뛰어놀지. 더위를 피해 한길가에 깔아놓은 멍석이 있는 데로 하나 둘 동네의 어른이나 아이 할 것 없이 다 모인단다.

학교에서 배운 노래도 부르고 할머니께서는 호랑이 담배 피던 시절 이야기라면서 옛날이야기를 들려 주셨지. 지금 너희들이 읽는 동화책보다 훨씬 재미있었어. 그러다가 멍석 위에 누워보면 너무나도 찬란한 밤하늘이 펼쳐지는 거야. 매일 봐도 너무나 황홀한 밤하늘이야. 어떻게 얘기해줘야 너희들이 조금이라도 실감이 날까? 동요에 나오는 '금강석을 깔아 논 듯 반짝거려요!'라는 표현으로 될까······

깜깜한 하늘에는 은하수가 흐르면서 하늘이 온통 반짝거리고 있지. 누가 먼저랄 것도 없이 딸그만이랑 나는 북극성 먼저 찾고 북두칠성 찾고 그리고 각자의 별을 찾아 놓고는 합창하며 별을 헤어 보는 거야.

"별 하나, 나 하나, 별 둘, 나 둘, 별 셋, 나 셋······"

헤어도 헤어도 별을 다 헬 수가 없는데도 딸그만이와 나는 밤마다 별을 헤며 잠들곤 했단다.

애들아, 선생님 어렸을 적 이야기 재미있었니? 또 해줄게. 너무나 재미있는 일이 많은데 다 해줄 수가 없어 안타깝구나.

여름이 지나고 가을이 되면 시골은 정말 좋았지. 경치는 말할 것도 없이 아름답지만 우선 먹을 게 풍부해지거든.

그런데 여름이 지나고 가을로 접어들어 벼가 익기 시작할 무렵이면 참새 떼들도 극성을 부린단다. 막 꽃이 떨어진 벼에 내려앉아 벼를 쪼아 먹으면, 그해 피땀 흘려 농사지은 벼는 다 쭉정이가 되는 거야. 그야 말로 순식간 이란다.

그래서 아직 더위가 가시지 않은 땡볕인 논에 나가 워이워이 소리 지르며 새를 쫓는단다. 허수아비를 만들어 놓았지만 며칠이 지나면 새들은 알아차려 무서워하지 않거든.

지금 생각하면 재미있는 풍경이고 낭만인 것 같은데 정말 싫은 일이었어. 매일매일 신나게 뛰어 놀다가 친구도 없이 혼자 새를 쫓는다는 일은……

그런데 고맙게도 내 단짝 딸그만이가 항상 같이 새를 쫓아 주었지. 딸그만이네는 가난해서 논이 없었거든. 우린 날마다 사탕수수 몇 대를 잘라 간식거리로 가져가서 새를 쫓고 오며, 신나게 달음박질도하고 노래도 부르며 왔지.

봄부터 우리가 가꾼 코스모스 꽃길이 우리를 맞아주었단다.

벼가 누렇게 익을 때면 병 하나 들고 딸그만이랑 동네 친구 몇 명이 논으로 나가는 거야, 메뚜기 잡으러. 이리저리 용케도

숨는 메뚜기를 병 하나 가득히 잡아가지고는 들판에서 메뚜기를 구워 먹기도 했었지. 개구쟁이 남자들은 개구리 뒷다리도 구워 먹었지만…… 지금 생각하면 가난한 시절에 우리에게 필요한 단백질 공급원이었더구나.

벼를 다 벤 논에서는 우렁이 잡기, 미꾸라지 잡기, 송사리 떼 몰아서 송사리 잡기 이렇게 진흙탕 논이 우리의 신나는 놀이터가 되는 거란다. 온몸은 진흙투성이가 되고 그래도 너무나 신났었어.

겨울이 되면 추위 따위는 아랑곳하지 않고 민속놀이가 너무나 즐거웠지. 딱지치기, 구슬치기, 자치기, 팽이치기, 연날리기 그리고 눈이 오면 개처럼 뛰어다니며 눈싸움하기, 썰매타기, 눈사람 만들기 무엇 하나 재미없는 게 없었어.

지금의 너희들한테 정월 대보름날 '무엇하며 지내는지 아니?'라고 물으면 책에서 배운 대로 '오곡밥 먹고 달맞이하고 쥐불놀이도 해요.' 이러잖아. 놀이 중에서는 불장난이 제일 재미있다지 않니? 위험하기는 해도 정월 대보름날에 하는 것은 정말 재미있어.

일 년 내, 잘 모셔두었던 깡통 하나에 못으로 구멍을 숭숭 뚫고 산에서 따다놓은, 송진 붙은 솔가지를 깡통에 담고 불씨를 담아서 휘익익 원을 그리며 돌리면 휘황찬란한 불꽃이 되는 거야. 그게 쥐불이 되는 거지. 그걸 가지고 논둑에다 불을 지르면 논둑이 훨훨 타는 모습이 우리를 아주 신나게 하지.

쥐불놀이의 최고봉은 이웃 동네와 불꽃 싸움이었단다. 이 동네와 저 동네가 서로 멀찌감치 서서, 강통에 담아 있는 불을 힘껏 던지며 불꽃 싸움을 하는 게지. 조금 무섭지만 너무나 신나는 광경이란다. 지금은 금지된 놀이가 되었을 거야. 집들이 많아지고 화재의 위험이 있으니까. 선생님 어렸을 적에는 시냇가 근처 넓은 들에서 하는 거였거든.

정월 대보름날은 이렇게 신나게 놀면서 밤에 자면 안 되는 거였어. 잠을 자게 되면 눈썹이 하얗게 센다는 거야. 아무리 안 자려고 애써도 쥐불놀이를 실컷 하고 난 뒤라 잠이 쏟아져 나도 모르게 잠이 들지.

아침에 눈을 떠 보면 어김없이 눈썹이 하얗게 세어 있었어. 울고불고 난리였지. 그것은 언니들이 나 몰래 밀가루를 발라 놓았다는 사실을 알고는 한바탕 소동이 벌어진단다. 아무튼 지금 생각해도 재미있구나.

이른 봄이 찾아오면, 우린 바구니 끼고서 봄나물을 캐러 가지. 봄나물 몇 개 캐놓고는 겨울에 얼음썰매 타던 논으로 뛰어나가 얼음 배를 만들어 탔단다.

재미있게 노를 저으면서 얼음 배를 탈라치면, 얼음 배의 얼음이 깨지는 바람에 논으로 빠져서 얼마나 추웠던지. 두꺼운 얼음이었지만 밑에서부터 녹기 시작해서 힘이 없었던 거란다. 엄마한테 혼날까봐 모닥불 피워놓고 양말이며 바지를 말리다가 태워먹어 오히려 회초리 맞던 것도 그립구나.

 아하!

 지금부터는 가을 운동회 이야기를 해줄게. 가을 운동회는 동네의 잔치였어. 어린 아이부터 할머니 할아버지까지 동네 모든 사람이 함께하는 말 그대로 대운동회지. 지금 생각하면 운동회날 모인 사람들이 올림픽에 모인 사람들만큼이나 운동장을 완전히 꽉 메웠던 것 같아.

 그런데 동네 축제인 운동회가 나에게는 좋기만 한 것은 아니었어.

 왜냐고?

 달리기 때문이지. 달리기를 할 때면 모든 사람들이 환호하며 온통 난리였지.

 선생님 차례가 되었어. 그때 신호총 소리를 기다리며 간절히 비는 선생님의 소원이 무엇이었는지 너희들 혹시 아니? 너희들은 선생님의 소원을 짐작도 못할 거야.

 "달리기 1등요!"

 "달리기 1등? 무슨 1등씩이나! 아니야."

 "그러면 3등 안에 드는 것?"

 "그것도 아니었어. 6명이 달리는 가운데 선생님은 맨날 6등 꼴찌였으니까. 그러니 그날도 6등은 틀림없이 선생님이구. 6등도 그냥 6등이면 말도 안한다. 5등하고는 반 바퀴도 더 떨어진 6등이었거든. 그러니 선생님의 소원은 5등하고 가까이 가는 꼴찌 6등이 선생님의 소원이었지."

"무슨 소원이 그렇게 형편없었어요?"

"나에게는 정말 큰 소원이었단다. 그때의 창피함도 말할 것 없었지만 운동회가 끝난 후에도 우리집 가족들과 머슴 아저씨들까지 얼마나 놀리는지 정말 창피했어. 5등하고 반 바퀴가 뭐냐구?"

그런 내가 선생님까지 되었으니 선생님이 생각해도 놀라워. 그 후로 선생님은 정말 열심히 노력하여 5등하고 거의 가까이 가는 꼴찌 6등이 되었지. 성공한 거잖아! 그치?

그 후로 꼴찌인 6등이 5등하고 붙어 가는 것을 배웠지. 6등은 5등하고 5등은 4등하고…… 이렇게 붙어만 가면 1등이나 같아진다는 사실을 알게 된 거야. 그래서 1등 하려고 생각하지 않고 붙어만 가는 것을 노력했더니 지금의 선생님이 될 수 있었던 거란다.

이해가 가니? 내가 가르치고 있는 우리 반 친구들은 다 아는데. 그래서 우리 반 친구들은 32명이 모두 붙어가서 32명 모두가 동그랗게 1등이 되려고 예쁘게 서로 격려하며 서로 칭찬하며 지낸단다.

나중에 커서는 국제무대에서 1등이 되는 날을 위해, 우리 친구 모두도 붙어가는 것을 실천해보지 않으련?

빛바랜 보물 1호

가끔 고학년에서 만든 문집을 보게 되면, 그 담임을 예사로 보지 않았다. 나는 운남초등학교에 근무하면서 저학년 담임을 맡아 문집은 엄두도 못 내었다. 어느 해 초여름, 개인적으로 조금 힘든 일이 있어 우울하고 맥이 빠져 있었다. 아이들이 빠져나간 텅 빈 교실에서 상념에 잠겨 있었다.

순간! '2학년, 우리 반 글을 모아 문집을 만들어볼까? 그래서 여름 방학에 선물로 줄까?'

이렇게 하여 힘든 작업을 시작하기로 마음먹은 것이다. 나는 우리 아이들을 통하여 새로운 기운을 얻고 싶었다. 사실 문집을 만드는 작업은 참으로 힘들었다.

그래서 임원 엄마들에게 내 취지를 얘기했더니 마음이 하나로 모아졌다. 적극 도와준다는 것이다. 내가 아이들의 글을 고르면 컴퓨터도 없던 시절 타자를 칠 수 있는 엄마가 밤을 새워 정리를 해주었다.

"힘드셔서 어떡해요?"

"아니에요. 밤새는 줄 모르고 정말 재미있어요."

학부모의 도움으로 어렵고 어렵게 원고는 마련됐는데 제본이 문제였다. 많은 돈을 들일 수도 없고…… 그 사실을 안 우리 반 한 아이의 아빠가 자신이 다니는 직장 편집부에서 제본을 해왔다. 모두가 감격적인 순간이었다.

우리 반 54명 모두의 글이 번호순대로 4편씩 다 들어 있는 보물 그 자체였다. 문집에 실려 있는 글을 찬찬히 읽어봤다.

어버이날에 부모님께 드린 편지와 부모님께서 보낸 답장이 너무나 소중하고 아름다웠다. 그리고 우리 아이들이 공부 시간에 쓴 동시, 꿈과 사랑이 있는 일기 글을 읽으면서 잔잔한 행복이 다시 느껴졌다. 이 아름답고 소중한 글을 다 같이 나누어 갖고 싶어 여기 문집에 모은 것이다.

우리 아이들 글은 미리 책을 만든다고 써오라고 하질 않았다. 그렇게 되면 엄마 아빠의 손길이 가서 아이들 글이 아니게 됨을 잘 알기 때문이다. 엄마의 답장도 문집에 넣으려고 써오라고 한 것이 아니다. 아이들과 부모의 사랑을 글로 주고받는, 사랑 실천 방법으로 해마다 해오는 일 중 하나였다. 그 글들을 모은 것이다. 생각보다 문집이 일찍 완성되어 여름방학 며칠 전에 부모님께 전달될 수 있었다.

부모님들은 이 글을 읽고 어떤 생각을 하실까 궁금해서, 알림장에 '오늘 문집이 완성되어 나갑니다. 읽어보시고 부모님

의 소감을 아이들의 알림장에 한 줄 써 보내주세요.'

　부모님들의 반응은 대단했다. 이렇게 고마울 수가 없었다.
한 분도 빠짐없이 54분 모두 보내주셨다. 눈물이 날 정도였다.
　'만들기 정말 잘했구나! 이렇게 모두가 좋아하시는 것을……'
　지금도 가슴 설레며 그때의 문집을 교직 생활의 보물로 간직
하고 있다. 읽고, 읽고 또 읽는다.
　빛바랜 문집 꿈나무 1호! 나의 보물 1호.

　이 보물을 모두 소개할 수 없어 안타깝다. 그중 지운이의 글
을 소개한다. 지운이는 많이 왜소하고 친구들의 놀림감이 되
기도 하는 아이였다. 학교가 떠나가리만큼 대성통곡을 해서
친구들과 나를 당혹케 할 때가 많았다. 그리고 2학년인데 화장
실 가려면 옷을 홀딱 벗고 가니 아이들의 놀림감은 어쩔 수 없
었다. 비가 그친 어느 날, 대성통곡하며 지운이는 등교하고 있
었다. 왜일까?
　"선생님! 달팽이가 다 죽었을 거예요."
　"왜 달팽이가 다 죽어?"
　"달팽이는 비가 오면 풀숲으로 나오는데 형아들이 풀밭을 밟
고 학교 왔어요. 그래서 달팽이가 다 죽었을 거예요."
　나는 이런 지운이가 너무나 순수하고 사랑스러워, 한참이나
꼬옥 안아주었다. 얼마나 달팽이를 좋아했으면…… 그리고 우

리 아이들에게 지운이에 대해 다시 이야기해 주었다. 아픈 이야기와 이 다음에 지운이는 파브로 곤충기를 쓴 파브로보다 더 훌륭한 곤충 박사가 될 거라고 자세히 설명해 주었다.

이렇듯 기회를 포착해서 아이들과 이야기를 나누고 공감을 얻고 칭찬해 주면 아이들은 반드시 좋아진다. 지운이 역시 순수함을 그대로 지닌 채 아이들과 잘 지내고 학교 생활 역시 잘 해냈다.

몇십 년이 지난 지금도 비가 그 친 뒤 산책할 때면 지운이의 천진했던 그 모습이 생각나 저절로 웃음이 나온다. 행복했던 시절의……

'오늘 따라 지운이가 많이 보고 싶다!'

문집에 실린 지운이의 글을 읽고 지운이 어머니와 다른 두 명의 학부모가 보내준 글을 적어본다.

제목: 뮤지컬

오늘 알리바바와 도적들이라는 뮤지컬을 보았다. 그런데 대왕이

"열려라! 참깨!"대신

"열려라! 똥고!"라고 했다.

나는 참 우스웠다.

사랑하는 지운이에게

엊그제 초등학교에 입학한 것 같은데 벌써 2학년이 되었구나!

1학년에 입학했을 때 기쁨보다 걱정이 더 앞섰단다.

그래도 학교 가기 싫다고 떼 안 쓰고, 학교생활에 잘 적응하는 지운이에게 정말 고마워. 엄마는 이 모든 것을 하나님께 감사드린다.

4년 전 병원에서 뇌파 검사와 MRI 검사를 받다가 수면제 과다 복용으로 며칠을 깨어나지 않아 병원 응급실에 가서 간호사를 붙잡고 울던 일 등등…… 지금 생각하면 너무나 끔찍하단다.

엄마를 힘들게 하고 속을 많이 태운 지운이에게 동생보다 특별히 정이 더 가는구나.

잘 따라 못한다고 매로 때린 일, 지금 생각하면 엄마의 기준으로 지운이를 체벌했던 것 같아, 정말 미안해.

전에는 엄마의 욕심 때문에 너를 많이 힘들게 한 것 같아. 앞으로는 지운이가 하는 대로 지켜보고 격려해 줄게.

엄마가 부탁하고 싶은 것은 친구들 귀찮게 하지 말고, 수업시간에 선생님 말씀 잘 들어라. 그리고 화장실 갈 때 교실에서 옷 벗지 말고 화장실에 가서 벗어. 친구들이 놀리잖아?

지운아, 아프지 말고 튼튼하게 자라길 바란다.

우리 아들! 사랑해!

문집을 읽고 난 후 보내주신 글 두 편을 붙인다.

며칠 전, 엄마를 놀라게 할 일이 있을 거라며 잔뜩 벼르더니 꿈나무 책을 가져와서는 마냥 으스대며 즐거워하네요. 친구들과 본인의 글이 책이 되어 만들어졌다는 게 한없이 기쁜 모양입니다.

선생님! 감사드려요.

아이들 생각의 폭이 이토록 깊고 넓다는 걸 깨달은 계기가 되었습니다. 한 줄 한 줄, 이름 하나 하나를 소홀히 넘길 수가 없었답니다.

책 속에서, 아이들과 선생님이 수업 진행하시는 모습까지도 떠올릴 수 있었습니다. 선생님과 아이들의 정성이 고스란히 전해왔습니다. 읽는 내내 선생님께 큰 감사가 저절로 나왔습니다. 아이들 생각에 비례해서 부끄럽지 않은 자랑스러운 부모가 돼야겠다는 각오가 마음 한쪽을 비집고 차지합니다.

선생님! 정말 감사드립니다.

2학년 8반 파이팅! 큰 소리로 외쳐봅니다.

— **안미정 엄마**

솔직하고 순수한 아이들의 글을 읽으면서 깨끗한 동심의 세계를 느낄 수 있었습니다. 어른들보다 더 어른스러운 마음들을 엿볼 수 있었습니다. 아이들은 어른들의 어른이란 걸 새삼 느끼며 대견스러웠습니다. 그 어떤 훌륭한 책보다 값진 것 같습니다. 아이에게 평생 보관할 좋은 책이며 추억으로 남을 책입니다.

아이들에게 가족상(주: 아이가 칭찬받을 일을 했을 때 칭찬하며 부상으로

가족의 수만큼 사탕을 주는 일)을 주셔서 가족과 함께 흐뭇한 시간을
가질 수 있도록 해주심도 감사합니다. 그로 인해 가족의 소중함도
느끼며 자연스런 대화도 할 수 있었습니다.

　선생님 감사합니다. 건강하세요.

　— 이경훈 엄마

진심으로 존경합니다

내 나이 만 40살이 되었을 때, 고민이 있었다. 30세쯤이었던가? '교사직을 언제 끝내는 게 좋을까?' 하고 은퇴시기를 생각했던 것이다.

그때 결론이 '40살에 그만두자. 젊다고 생각할 때 아름답게 은퇴하자.' 그렇게 생각하고, 그만둘 때 조금이라도 보탬이 되고자 작은 적금도 하나 들어 40살에 타도록 해 놨었다.

그런데 그 시점인 만 40살이 된 것이다.

'벌써 40살이네! 어쩌지? 그만둬야 하나?' 많은 고민 끝에 우리 교장 선생님과 의논해봐야겠다는 생각이 들었다. 그리고는 교장실 문을 살며시 노크했다.

"교장 선생님! 사적인 일로 의논드리러 왔습니다."

"그래요? 우선 자리에 앉읍시다."

친절히 맞이해 주셨다.

"저~ 다름이 아니구요."

더듬거리며 은퇴를 생각하고 있다는 말씀을 드렸다.

"아니! 김 선생님이 학교를 그만두겠다고? 이게 무슨 소린가! 김 선생이 아이들 가르치는 것을 그만둘 수 있을까?"

교장 선생님은 호탕하게 껄껄 웃으시더니

"김 선생! 다른 사람은 교직이 싫다며 그만둘 수도 있겠지만, 김 선생만큼은 그만둘 수 없을 겁니다. 아이들 가르치는 것을 그렇게 좋아하면서……"

"그래서 고민이 돼서 교장 선생님께 말씀 드리는 거죠."

"쓸데없는 생각하지 말고 정년 때까지 하세요. 그래야 우리 아이들이 행복하지. 이제 막 교육자로서의 완숙미가 나오는 판에……"

"교장 선생님, 감사합니다! 저 교장 선생님께 이 말씀 듣고 싶어 왔어요. 사실 그만둘 때가 됐다고 하시면 어쩌나? 하며 무지 두렵기도 했거든요. 건강 허락하는 날까지 열심히 하겠습니다."

나는 감사하고 후련한 마음을 안고 교장실을 나올 수 있었다.

예능에 재주라고는 빵점인 내가, 아이들과 신나는 노래판, 연극 한마당, 춤판 등을 벌일 수 있었던 것도 그분의 도움이라고 생각한다. 해봐야겠다, 할 수 있다는 자신감이 생긴 것이다.

'열우물배움잔치'라는 개교 기념행사에, 운동장에서 우리 반 전체가 출연한 연극을 하였다.

경인일보에 배움잔치 기사와 함께 우리 반 연극 사진이 실렸다.

무대 장치도 나랑 3학년인 우리 아이들이 스티로폼 널빤지 '우드 보드'를 이용해 손수 만들었다. 앞쪽에 배치되어 있는 배경을 들고 앉아, 빼쭉 얼굴이 보이는 우리 아이들!

'너희들, 이제는 모두가 성인이 돼서 가정을 꾸리고 잘 살고 있지? 그리고 사회에서 큰 몫 하고 있지? 사진을 보니 더 많이 보고 싶구나!'

강 교장님은 나뿐만 아니라 같이 근무한 교사라면 모두가 존경하리라 믿는다. 교직자로서의 철학이 있으시고, 여러 분야에 해박하시고, 성격은 대쪽같이 올곧다. 그래서 그분 앞에서는 경직되기도 하지만 그러면서도 서민적이시고 훈훈하시다. 무엇보다도 청렴결백하셔서 더욱 존경스럽다.

그런 분을 교감, 교장 선생님으로 두 학교에서 모실 수 있는 복이 있었다. 그분의 교육 철학은 나에게도 많은 영향을 주었다고 생각한다. 그분과는 학교 경영이야기, 우리 반 아이들 이야기, 가정사 까지 많은 이야기를 나누는 사이다.

첫 문집인 '꿈나무 1호'를 만들어 다른 학교 교장으로 계시는 그분께 자랑 삼아 보여 드렸더니

"아니! 이 책이 2학년 아이들하고 만들었단 말이요? 그것도

학년 말이 아닌 여름방학 전인데? 아이들 전체의 글을 다 실은 이 문집을?"

강 교장님은 진심으로 칭찬해 주시면서

"이 문집 대상감이네! 이거 문집 공모전에 출품해 봅시다!"

"교장 선생님이 칭찬해 주신 것으로 만족합니다. 공모전에는 나가지 않겠습니다. 우리 반 아이들 스스로 쓴 글이 번호순으로 4편씩 다 들어가 책이 되었다는 것이 저로서는 가슴 벅차고 기쁩니다. 그것으로 행복합니다."

그러나 교장 선생님의 말씀은 감사했지만 학년 말에 있는 공모전에는 나가고 쉽지 않았다. 끝내 나가지 않았다.

두 날개 활짝 펴고

그분을 처음 뵌 건, 장학사로서 내가 근무하고 있는 학교에서 '열린교육 특강'을 할 때였다.

내가 근무하고 있던 학교가 '전국 단위 문교부 지정 열린교육 시범학교'였다. 하지만 난 그분의 강의를 듣기 전에는 이미 열린교육에 마음의 문을 닫고 있었다.

'열린교육'이라는 말이 나오기 전에는, 우리 아이들하고 자연스런 멋진 열린 수업을 하고 있었다.

그런데 막상 다른 학교 '열린교육 시범 수업'이 있어 가보고 '이건 아니다.' 너무나 이해할 수조차 없는 새로운 형식에 얽매인 수업인 것이다. '반가'라는 노래를 부르고, 구호를 외치며, 앞에는 양탄자가 깔려 있고, 상품화된 조별 공동용 필통 등.

그런데 그분의 강의는 충격적이었고 신선했다. 일본의 예를 들어 쉽게 접근하도록 해주었다.

열린교육의 취지가 각 아동 수준에 맞는 개별 학습을 통해 창의력을 신장하고, 학습 효과는 물론 인성 발달을 꾀하자는 의도였던 것 같다.

그러나 열린교육 자체가 또 다른 고정 틀이 되어 획일화된 어설픈 열린 학습은, 일제 수업보다 오히려 효과가 적다고 생각되어 열린교육에 마음의 문을 닫고 있었다.

그런데 그날 그분의 강의를 듣고, 열린교육에 마음의 문을 활짝 열었다.

교사의 전문성이 강조되었다. 그것은 학습과제나 교과의 특성에 따라 교사가 자기 학급에 맞는 교육과정을 스스로 설계하여 짤 수 있어야 하고 또한 교사가 이들 속으로 들어가야 열린교육의 효과를 거둘 수 있는 것이다.

그래야 우리 아이들에게 무궁무진하게 잠재돼 있는 개성과 재능의 보석을 발견할 수 있고, 그 보물을 최대한으로 발휘토록 교사가 도와주어야 한다. 이것이 열린교육의 목표이자 교사의 의무라고 생각되었다. 얼마나 멋진 교육인가?

'그래, 아이들하고 신바람 나는 수업을 해보자. 그래서 아이들의 보물을 맘껏 캐보자!' 순간 나의 마음은 갑자기 들뜨고 흥분되었다.

전국 단위의 '문교부 지정 열린교육 연구 시범학교' 공개 수업반을 맡았다. 내가 근무하는 학교가 제일 큰 단위의 시범학교로 지정된 것이다. 전국에서 수많은 분들이 참관하러 우리 학교로 온다.

최종적으로 발표하기 전 여러 차례의 공개 수업이 있다. 우리 아이들에게 맞는 학습과제를 선택하여 지도안을 짜고, 지도 자료를 만들고, 그에 맞는 환경 구성을 하느라 밤 10시는 넘어야 퇴근했다.

학교에 밤늦게까지 불 켜놓고 일하는 것을 보고 학부모님들도 좋아하셨다.

"요즘 우리 교실에도 밤늦게까지 불이 켜져 있던데 힘드셔서 어떡하죠?"

"어머! 불 켜진 것 보셨구나, 할 일이 너무 많네요."

"저희가 도울 일 있으면 도와드릴게요."

그래서 자료 만들고 환경 구성하는데 많은 도움을 얻을 수 있었다. 엄마들이 늦도록 집으로 돌아오지 않자 급기야 아빠들이 찾아왔다가 아이를 데리고 가기도 하고, 아예 소매를 걷어붙이고 도와주는 아빠도 있었다. 이해해 주고 도와주는 학부모들이 참 고마웠다.

그 해 6월 28일, 드디어 '문교부 지정 열린교육 연구 시범학교' 성과를 공개하는 날이었다.

8월 말 명퇴 신청을 한, 부장 교사인 내가, 그 많은 참석자들 앞에서 우리 아이들의 보물을 캐는 수업을 한 것이다.

그날 2시간 동안 이어지는 일학년 수업인데도 아이들의 집중력과 자신감으로 학습 열의는 대단했다. 나 역시 수업 내내, 즐거운 마음으로 입가에는 미소가 절로 나오며 수업에 집중했다.

나는 수업 중간중간 아이들 속으로 들어가서 등 토닥여 주고, 잘 안 되는 부분은 도와주고, 다음 단계에 대해 의논하고…… 수업은 성공적인 것 같았다.

마침내 수업을 마치고 나와 참관자가 모여 협의회를 갖는다. 나는 그 자리에서 그동안의 소회를 털어놓았다.

"저는 8월 말 명퇴 신청한 교사 김용숙입니다. 이렇게 공개하는 수업은 마지막인 것 같아 더 열심히 아이들을 키웠습니다."

말이 끝나자 참석자 모두가 놀라워하며 아낌없는 박수를 보내 주었다. 그분들이 이 수업에 대해 무슨 말을 할 수 있겠는가? 모든 분들이 찬사의 말씀만 해주었다.

이렇게 어려운 수업을 한 번씩 할 때마다 우리 아이들이 몰라보게 성장한다. 이 맛에, 나는 어려운 수업을 하곤 한다. 성취감까지 맛보기 위해 명퇴할 교사가……

나는 참석자 모두가 떠나 간 텅 빈 교실에서 잠시 휴식을 취하고 있었다.

'똑똑똑!'

노크 소리에 나가 보니 경남 시교육청에서 오신 여자 장학사님이 되돌아오신 것이다. 그 장학사님은 택시를 타고 가다가 나를 다시 만나고 싶어 택시를 돌려 다시 왔다는 것이다.

"무얼 두고 가셨나요?"

"물건을 두고 간 게 아니고 선생님한테 꼭 해야 할 말이 있어서 다시 왔습니다."

나는 영문을 몰라 의아한 표정을 하고 서 있는 나에게 다가와 두 손을 잡더니 작심한 듯 말했다.

"선생님, 명퇴 취소하시라고 이렇게 가던 길 되돌아 왔습니다."

"어머! 정말 고맙습니다마는……"

"제가 전국을 다니며 수업을 참관해 봅니다. 그래서 잘 압니다. 선생님같이 아이들과 하나가 되어 수업하시는 분 정말 적습니다. 수업 내내 아이들을 사랑하는 눈빛과 아이들을 향한 열정 있는 선생님은 찾기 힘듭니다. 아직 취소할 수 있습니다. 어려운 일인 줄은 잘 압니다. 갈 길이 바빠서 부탁드리고 이만 갑니다."

기다리게 해 논 택시를 다시 타고 그분은 터미널을 향해 갔다.

눈시울이 뜨거울 정도로 감사했다. 이런 분도 계시구나! 잠시 복잡했던 모든 걸 잊고 차~암 행복했다.

열정을 가지고 수업을 할 수 있는 동기를 부여해주고 수업지도를 해주신 김경희 장학사님께, 그때는 물론 두고두고 지금도 감사하다.

　그 후로 두 번씩이나 그분이 교감으로 근무하는 학교로 전근을 가게 되고 퇴임 후 잠시 기간제 교사로 그분이 교장으로 계신 학교에서 마지막으로 아이들을 지도하였다.

　그분의 장학지도 덕에 교사의 생명인 수업의 질을 높일 수 있었다. 그리고 학년 부장 중심으로 학년을 경영하도록 많은 배려를 해주었다.

　그분의 지도와 지지에 힘입어 나는 우리 아이들을 위한 폭넓은 교육활동을, 두 날개 활짝 펴고 행복한 교사로 아이들과 함께 마음껏 훨훨 날 수 있었다.

다시 오뚝 서다

강한 회오리바람에 나도 명퇴를 신청했다.

기념품까지 학교에 전달되어 와 있는 시점에 우여곡절 끝에 철회를 했다.

나는 방학 동안 집에서 이 생각 저 생각하다가 어느 날 신문을 보게 되었다. 8월 말까지 철회 신청을 받는다고 분명히 했는데 이제는 철회가 끝났다는 것이었다. 괜스레 화가 치밀었다. 그 기사를 쓴 기자에게도 전화해보고 급기야 교육부 민원실에까지 문의해봤다.

"8월 말까지 명퇴 철회 받는다고 해놓고 왜 일찍 마감했나요?"

"네~ 선생님, 사정은 이렇습니다. 교육부에서는 8월 말까지로 했는데 며칠 전 시도 학무과장 회의에서 업무상 여러 가지로 너무 복잡하니 철회시기를 앞당겨 달라는 요청에 의해 그렇게 되었습니다. 선생님, 죄송합니다."

그동안 고민하고 또 고민하여 어렵고 어려운 결정을 내려 명퇴를 결정했음에도 불구하고 철회마감이 일찍 된 것에 분풀이를 해본 것 같다.

  나는 '이제는 끝났구나!' 하고 아무 생각 없이 멍하니 앉아 있는데 시 교육청 명퇴 담당 장학사가 전화를 해왔다.

  "아니, 저에게 웬 전화세요?"

  장학사가 나한테 전화를 줄 거라고는 전혀 생각지 못했었다.

  "선생님, 철회할 거예요, 말 거예요?"

  나는 더듬더듬 거리며 조심스럽게 다시 물어보았다.

  "하고 싶은데 끝났다는데요?"

  "지금 교육부에서 전통이 왔는데 철회할 사람 받아준다니 빨리 학교에 가서 '철회서'를 제출하세요."

  '명퇴 수당 지급 철회서'를 본인이 직접 자필로 써야 한다기에 나는 교육청 장학사의 지시에 급히 택시를 타고 학교로 갔다.

  택시기사가 방학 중인데 무슨 급한 일로 택시까지 타고 학교 가냐고 묻기에, 명퇴 철회하러 간다고 했더니 기사는 넌지시 충고까지 하는 것이었다.

  "선생님, 잘 생각하셨습니다. 그냥 더 하십시오. 10년도 더 하실 수 있는데 아깝지 않습니까? 명퇴비가 큰돈이기는 하지만 사람 앞일 모릅니다. 어떻게 변할지, 잘 생각하셨어요, 끝까지 하십시오."

바른 판단으로 용기를 주신 그분에게 지금도 감사한 마음이다.

그리고 며칠 후 명퇴를 신청했다가 철회했다는 사연을 들은 아들이 깜짝 놀라며 상기된 표정으로 말을 했다.

"엄마는 왜 명퇴를 하려고 하셨어요? 학교생활을 그렇게 즐거운 마음으로 하시면서 정년까지 하셔야지……"

"그러게나, 근데 아들아. 명퇴비도 큰돈이고 하면 할수록 경제적으로 손해란다. 엄마 노후 때문에 그랬지."

"엄마 노후를 왜 엄마가 걱정하세요? 아들이 있는데."

엄마 노후를 아들이 책임져준다는 말에 천군만마를 얻은 기분이었다. 그때 아들은 공부 중이어서 아들과 상의를 하지 않았다.

'정말 아들이 엄마 노후를 책임져 줄까? 지켜봐야지!'

지금은 아들과 같이 살지는 않지만 지금은 잘하고 있다. 공기업에 다니면서 두 아들의 아버지로 잘하고 있다.

회오리바람에도 날려가지 않고 오뚝 서 있다고, 개학날 엄마들께 보낸 새 출발의 글과 여러 어머니들이 응원 메시지를 보내주셨다. 그중 짤막한 재석 엄마의 글을 함께 옮겨보았다.

무던히도 덥고 짜증나던 날씨도 계절 앞에는 어쩔 수 없나 봅니다. 아침저녁으로 제법 선선하군요.

방학동안 잘 지내셨지요?

저는 이번 방학에 여름휴가도 다녀오고, 집에서 책도 읽고 집안 살림에도 신경 써가며 정말 평안한 쉼을 얻었습니다. 풍랑 끝에 얻은 쉼이라고 생각됩니다.

명퇴를 신청해놓고도 마음의 갈등이 심했습니다. 명퇴 신청자에게 8월 말까지는 언제든지 철회를 받아주겠다는 교육부의 발표가 있기에 6월 28일 '교육부 지정 열린교육 시범학교' 공개 수업을 마치고 조금 더 차분히 생각하고자 하였습니다.

그런데 갑자기 6월 20일까지 마지막 철회라니, 엉겁결에 기회를 잃고 그만 둘 때구나 하며 포기했지요. 그리고 공개 수업에 온 정성을 쏟아 좋은 평을 받았습니다.

방학이 되어 곰곰이 생각해보니 교육에 대한 아쉬움과 욕구가 더 솟구치더군요. 명퇴를 철회해보자. 경제적인 손실보다는 아이들 지도하는데 더 큰 목적을 두자. 이렇게 마음먹고 교육부까지 민원을 넣어 어렵게 명퇴 신청을 철회하게 되었습니다.

지금은 참으로 평온합니다. 경제적인 면 때문에 잠깐 아니 긴 시간 갈팡질팡 헤맸던 제 자신이 부끄럽습니다. 이제는 건강이 주어지는 날까지 우리 아이들과 함께 하렵니다. 우리 아이들 모두 자신감을 갖고, 똑똑하고 행복한 아이들로 잘 키워 보렵니다.

지켜보면서 도와주십시오.

— 개학 전날 김용숙

그동안 정말 마음고생 많으셨는데 방학 내 평온한 시간 되셨다니 무척이나 다행스럽습니다. 각고 끝에 내려 주신 어려운 결정, 자리 지켜주심에 저희 모두는 기쁘고 감사하는 마음뿐입니다.

한편으로는 1학기 중간중간 많이 고뇌하시는 모습 뵈면서도, 저희들의 바람 앞세워 다시 어려운 발목을 잡히게 한 건 아닌지 모르겠습니다. 어려운 결정이셨던 만큼 이제는 그동안 겪으셨던 모든 시름 기억 저편으로 묻어 두시고, 행복하시고 즐거운 학교생활 되시길 빕니다.

우리 아이들에게 보여주셨던 열정, 사랑에 깊이 감사드립니다.

— **재석 엄마**

빛바랜 보물 2호

문집 '꿈나무' 2호 책머리에 적은 글이다.

　우리 반 아이들은 대단한 아이들입니다. 2학년 어린 나이지만 큰 꿈을 향해 한 걸음 한 걸음 나아가고 있습니다.

　모둠끼리 머리를 맞대고 자기들의 의견을 내세우며 토의하는 모습, 자기의 생각을 친구들 앞에 당당하게 발표하는 모습 그리고 모둠끼리 협동하여 '공공장소 질서 지키기' 체험학습을 다녀와서, 여러 가지 형태로 보고하는 모습 등 우리 반 아이들만이 할 수 있는 일이었습니다.

　우리 아이들에게 용기와 자신감은 물론 지혜와 슬기 또 창의성을 키워주고 있습니다. 우리 아이들은 자신들의 단점도 알고, 그 점을 고치려고 노력해 왔습니다.

　우리 아이들 모두가 즐거운 얼굴로, 학교 오는 것도 참으로 예뻤습니다. 이 아이들을 맡아 가르치며 때론 힘들고 역부족일 때도 있었지만 교사로서 잔잔한 행복에 취하며 보람을 느끼곤 했습니다. 우리 아이들 모두를 바르고 훌륭한 어린이로 키우려고 애썼습니다.

우리 아이들이 그동안 써온 일기 글, 부모님과 주고받은 편지글, 공부 시간에 쓴 동시 글과 그 밖의 글들을 모았습니다.

그 속에는 우리 아이들의 멋진 미래가 있습니다. 부모님들의 진실된 아이사랑이 담겨져 있습니다. 우리 아이들은 교과서에 나오는 동시 글 '아기 나무가 자라서 큰 나무 되지.'와 같이 여러 가지 어려움도 이겨내고, 모두가 큰 재목으로 자라리라 믿습니다.

이 아이들에게 용기와 격려의 큰 박수를 보냅니다.

— 담임 **김용숙**

나는 정신없이 몰아닥친 회오리바람이 잔잔해진 다음해, 2학년을 맡게 되었다. 새로운 마음으로 이 아이들하고도 문집을 만들어보고 싶었다. 이번에는 학년 말에 만들어 3학년 올라가는 기념으로 주었다.

지난번 만든 창간호 문집 '꿈나무' 1호와는 다른 것 같다. 그때 만들 때와는 내 상황도 내 마음도 달랐다. 2학년, 학년은 같았지만 학년 말에 만들어 6개월 정도의 시간차로 그전 아이들보다 조금 성장된 것 같다. 세월이 4년이나 흘러 시대도 급속도로 바뀌었다. 컴퓨터가 많이 보급되었고 우리 아이들의 생활수준 차이도 있었다.

이 문집에는 동시, 일기, 편지글 외에 독서 감상문, 기행문

등 조금 더 다양한 글을 실었다. 물론 39명 모두의 글을 번호 순대로 편집했다.

1번인 송효규는 글을 읽을 수는 있으나 자기의 생각을 쓰기에는 역부족이었다. 그래서 우리 아이들이 효규에게 하고 싶은 이야기를 담도록 하였다. 아이들 모두가 효규에게 진솔한 이야기를 해줬다. 예쁜 마음을 가진 우리 아이들이다.

문집에 실린 글 한 편을 옮긴다. 그리고 내가 우리 반 아이들한테 '가족사랑 모임'을 제안했던 적이 있다.

부모님과 자녀들의 자연스런 소통과 가족의 사랑이 더 돈독했으면 하는 바람에서 제안했었다. 혜린이가 실천해보고 쓴 일기 글과 대연이와 현모의 견학 감상문을 소개한다.

나 송효규야, 그동안 미안했어.

나에게 너희들이 하고 싶은 말을 써줘!

네 바로 옆 모둠에 있는 이연수야. 그런데 효규야, 네가 날 얼마나 힘들게 했는지 아니? 넌 모를 수도 있지만 날마다 등으로 밀고 차고 그랬어. 그렇지만 네가 좋을 때도 많았어. '이거 뭐야? 이건 뭐야?' 하며 물을 때는 애기같이 귀엽고 재미있었어. 나도 너를 괴롭힌 것 많이 있었지? 미안해 사과할게. 친구들에게도 너에게 잘해 주라고 하고 나도 반성하고 너를 항상 위로해주고 많이 도와줄게.

— 이연수

제목 : 가족사랑 모임

오늘은 선생님께서 말씀하신 '가족사랑 모임'을 갖기로 한 날이다. 미리 알려야 아빠가 그날 약속한 시간에 오실 수 있기 때문에 일주일 전에 큰 도화지에 방을 써 붙였다.

〈가족회의〉

안녕하세요? 큰딸 혜린이에요.

우리집에서 '가족사랑 모임'을 합니다. 이 모임은 그동안 가족들에게 서운했던 일이나 고마웠던 일을 말하고, 우리 가족이 더 화목하게 지낼 수 있는 방법을 말하는 시간입니다. 이 시간을 통해 자기 마음을 솔직하게 털어놓는 귀중한 시간을 갖게 될 것입니다. 우리 가족 모두 꼭 참석하기 바랍니다.

언 제 : 2000년 12월 20일 저녁에
어디서 : 우리집
준비물 : 양초, 케익, 과일, 과자, 마실 것 조금.
꼭 참석해 주시기 바랍니다.
우리 가족 다 오셔야 해요!!!
주관자 : 큰딸 혜린

드디어 오늘 밤, 우리 가족은 전원 모여서 '가족사랑 모임'을 했다. 서로에게 서운했던 점이나 마음속에 쌓아두었던 일들을 이야

기하고, 고마운 점도 이야기하고, 가족이 더 화목할 수 있는 방법
도 얘기했다.

2001년도에 버릴 것은 종이에 적어 가위로 싹둑싹둑 잘라 버렸다.

선생님께서 공부 시간에 '가족사랑 모임'을 해보라고 말씀하셔
서, 해보았는데 참 좋은 시간이었다. 우리 가족은 정기적으로 '가
족사랑 모임'을 갖기로 약속했다.

그림은 마음으로 감상하자
— 덕수궁 미술관을 다녀와서

처음으로 미술관을 갔다. 나는 그림을 볼 줄 모르기 때문에 떨렸
다. 내 마음을 아는지 같이 가주신 선생님께서 그림은 마음으로
보는 것이라고 말씀해 주셨다.

미술관에 전시된 작품은 참 멋있었다. 밀레, 고흐, 르느와르 등
처음 듣고 처음 보는 작품들이지만 환상적이었다. 밀레의 '이삭줍
기'는 광고에 나오는 그림이라서 반가웠고, 고흐의 그림은 하늘,
병원, 땅 그리고 나무까지 모두 움직이는 것 같았다. 르느와르의
'피아노 치는 소녀들'은 내가 그 옆에서 음악을 듣는 것 같았다.

오늘 내 마음으로 그림을 감상한 뜻 깊은 날이었다.

— 김대연

기다려 노벨상! 넌 내꺼야!
— COEX를 다녀와서

이른 아침 들뜬 마음으로 형과 함께 동춘역으로 향했다. 오늘은

COEX 가는 날! 점심때가 다 되어서 삼성역에 도착했다.

토요일이라 그런지 COEX 행사장 안에는 사람이 많이 북적거렸다. 형과 나는 '노벨평화상 100년 전'이 열리고 있는 대서양관으로 들어갔다. 들어가자마자 노벨 사진이 걸려있었다. 전시관 안으로 더 들어가니 노벨 실험실 모형도 있었다. 안내원은 다이너마이트에 대해 자세히 설명해 주었다. 설명을 들은 후 노벨 수상자들 사진을 보았다. 연도별로 사진이 있었는데 2000년에는 우리나라 김대중 대통령 사진을 보고 너무나 자랑스러웠다.

나도 열심히 공부하여 세계적인 훌륭한 사람이 되서 노벨상을 타야겠다.

"기다려 노벨상! 넌 내꺼야!~"

― 이현모

고마움과 감사

2011년 3월. 마지막 학부모 총회다.

엄마들이 빈자리 두어 개 남기고 교실 아이들 자리에 가득 앉았다.

학부형 총회란, 학교 임원도 선출하고 담임이 일 년간 전반적인 교육과정 운영에 관한 알림의 날이다.

나는 학부형 총회를 굉장히 중요시 여긴다. 내 교육관, 교육방침, 일 년간 교육과정 설명 그리고 학부모님의 협조사항 등 안내장을 준비하여 꼼꼼히 안내한다.

그해는 여느 해와 다른 느낌이다. 정년퇴임이 8월 말에 있는 관계로 1학기만 담임을 맡는 것이다. 이런 경우 담임을 맡지 않고 과목 전담을 맡지만 나는 담임을 원했다. 평교사로 정년을 맞는 나로서는 끝까지 우리 아이들과 함께 하고 싶었다. 그러나 우리 아이들과 학부모들에게 담임을 한 번 더 바꾸는 것이라서 미안함도 있었다.

"안녕하세요. 담임을 맡은 김용숙입니다. 바쁘실 텐데 많은 분이 참석해 주셔서 감사합니다."

엄마들은 밝은 표정으로 목례로 답한다.

"저 올 8월에 정년퇴임하는 것 아시나요? 제가 이 학교에서 6년째 근무하고 있고, 작년에 1학년을 맡아서 대부분 알고 계시리라 생각됩니다."

엄마들은 살짝 어수선하더니 이내 조용히 나를 응시한다.

"다른 해 하고는 조금 다른 느낌이 드네요. 교직생활 41년이나 되었습니다. 8월 말이면 41년 6개월로 교직생활을 마칩니다. 그런데 우리 아이들과 엄마들께 죄송한 마음이 듭니다. 2학년 끝을 맺지 못하고 1학기만 해야 한다는 점에서요. 그러나 다른 해보다 아이들 모두를 사랑하며 더 노력하겠습니다."

총회에 모인 엄마들은 박수로 나를 응원한다. 고맙고 감사했다.

"끝으로 한 가지 부탁드릴게요. 우리 아이들한테 저 8월 말에 정년퇴임이라는 것 비밀로 해주세요. 부탁드립니다."

8월말 가까이 가서 우리 아이들이 알 수 있도록 자세히 말해주고 싶었다. 공지사항 말고도 엄마들과 이런저런 얘기를 많이 나누는 자리가 되었다. 모처럼 감사하고 행복한 시간이었다.

그러던 어느 날 소민이가 갑자기 큰 소리로 소리쳤다.

"애들아, 우리 선생님 학교 끝난대! 니네 아니?"

우리 아이들이 웅성거린다.

"우리 선생님이 왜 학교 끝내?"

그 소리를 듣는 순간, 나는 왜 겁이 날까? 큰 잘못을 저지른 것 같았다.

"소민아! 이게 무슨 소리야! 누가 선생님 학교 끝난대?"

"우리 엄마하고 희철이 엄마하고 이야기할 때 들었어요."

"응~ 그랬구나! 선생님은 한 학교에 오래 있지 못하고 다른 학교로 전근 가기도 하잖아. 그런 얘기 하셨을 거야. 선생님이 이 학교에 오래 있었잖아. 선생님 학교 안 끝내. 알았지?"

우리 아이들은 그날 이후 안심하고 아무런 동요도 일지 않았다.

1학기 여름방학이 다가왔다.

나는 마지막 여름방학을 특별하게 보내고 싶었다. 1년 다 채우지 못하는 미안함과 아쉬움에 우리 아이들을 위한 특강을 구상하였다.

나는 오전 시간에 비어 있는 인근에 있는 지인의 학원을 빌려 오전 9시부터 12시까지 3시간을 우리 반 아이들만을 위한 공간으로 사용하기로 하였다.

특별한 사정이 있는 아이 몇 명을 제외하고는 대부분 특강을 신청하였다. 2~3가지 신청하는 아이도 여러 명이었다.

토요일에 3시간 연속으로 하는 '토요놀이반' 신청은 인원수가 너무 많았다.

특강은 생각보다 훨씬 성공적이었다. 나도 최선을 다해 지도하였고 아이들은 다른 장소에서 선생님과 함께하는 시간이 특별했던 것 같다. 특히 토요일, 놀이 중심의 다양한 수업을 아이들은 맘껏 즐겼다. 태권도 체육관을 빌려 사용하였으니 나와 아이들은 뛰고 구르고 시간 가는 줄 모르고 즐거운 시간을 함께했다.

8월 말 퇴임이라서 여름방학 끝내고 일주일 동안 아이들과 시간을 같이 했다.

나는 퇴임하기 이틀 전 아이들에게 '선생님은 국가에서 정해 놓은 만 62세가 되면 정년퇴임인데 선생님이 만 62살이 되어 선생님을 끝내야 하는 것'을 알기 쉽게 설명해 주었다. 우리 아이들은 놀라워하며 너무나 많이 섭섭해했다.

눈시울을 붉히는 친구들도 꽤 여러 명이었다. 끝내는 울음을 터뜨리는 우리 아이들, 참으로 고맙고 아름다웠다.

마지막 날 2학년 우리 아이들이 선생님 '쫑파티'라며 학예회를 방불케 하는 근사한 파티를 열어주었다. 어떻게 준비했을까? 시간도 없었는데 2학년 우리 아가들이……

여름방학 특강을 한다는 안내장과 특강을 마치고 보낸 글을 옮긴다.

우리 반 엄마들 안녕하시지요?

벌써 마무리할 시점이 다가온 것 같습니다.

학부모 총회 때 말씀 드린 대로 저는 8월 31일까지 우리 아이들을 지도하게 됩니다. 학교를 그만둔다는 아쉬움보다는 우리 아이들 끝마무리를 못하게 된 미안함이 훨씬 큽니다.

방학이 끝나고 7일간은 나와서 2학기를 맞이하게 되네요. 새로 오시는 분이 2학기 처음부터 지도하는 것이 더 나을 수도 있지만, 상황이 그래서 더 안타깝습니다. 2학기 일주일간 우리 아이들, 좋은 학습 분위기로 만들게요.

우리 아이들 정말 잘 컸습니다. 그러나 학년 끝마무리를 못한다는 미안함은 항상 가지고 있었습니다. 어떻게 해야 우리 아이들에게 보상할 수 있나 많은 생각 중에 '여름방학 특강'을 마음먹었습니다. 알찬 내용으로 '여름방학 특강'을 계획하여 제 담임된 우리 아이들에게 보상하고자 합니다.

방학 중 실컷 놀 수 있도록 해 주시는 게 원칙이구요. 놀지도 못하면서 생활 리듬만 깨며 흐지부지 보내는 시간을 저에게 맡겨주세요. 희망 받겠습니다.

안내된 희망 서에 학습 내용과 시간을 보시고 희망하여 주세요. 필요하면 여러 강의를 희망할 수도 있고요.

마음먹고 준비하니 많이 신청해주시면 고맙겠습니다.

추) 그만 두는 시점은 우리 아이들이 몰랐으면 좋겠네요. 때를 봐서 말하게요.

― 담임 김용숙 올림

한 달 내내 한, 특강을 끝내고 엄마들께 보낸 글이다.

방학 내내 비 오고 덥고 습해서 짜증나는 날씨의 연속이었는데도 열심히, 정말 열심히 참여해준 우리 아이들에게 고마운 마음으로 큰 박수를 보냅니다.

다양하고 알차게 계획하여 열심히 한다고는 했지만, 우리 아이들에게 얼마나 도움이 되었는지 모르겠네요. 저는 우리 아이들 덕분에 마지막 여름방학을 즐겁고 뜻있게 잘 보냈습니다.

'토요놀이반'에 모인 친구들의 활기 있는 웃음소리와 진지한 표정으로 역할극 연습에 몰두하는 모습, 한 문제도 틀리지 말고 풀어야겠다는 수학반 친구들의 의지 그리고 좋은 글을 쓰려고 한 줄 한 줄 최선을 다해 써내려간 국어반 친구들의 글을 읽으면서 이 여름이 참으로 행복했습니다.

저를 믿고 시간을 쪼개어 아이들을 보내준 엄마들께 진심으로 감사드립니다.

특강할 때는 이렇게 신나고 즐거웠는데, 이제 '제2의 삶'을 시작하려니 걱정에 앞서 두렵고 떨리는 마음 솔직한 심정입니다. 잘 적응하겠습니다. 마음으로 응원해 주십시오. 감사합니다.

— 담임 김용숙 올림

퇴임하던 날, 기쁜 소식이라고요?

"먼우금초등학교 어린이 여러분. 선생님 아는 친구 손들어 볼까? 그래, 그래. 정말 많이 알고 있구나. 1학년은 몇 명 안 되고, 2학년, 3학년, 4학년, 5학년, 6학년 정말 많구나. 손들어 줘서 고마워. 선생님이 왜 방송조회에 나와서 너희들에게 손들어 보라고 하는지 알까? 선생님의 마지막 기쁜 소식을 너희들에게 알려 주려고 나왔어. 선생님은 오늘로 학교 선생님을 마치는 날이란다. 그게 무슨 기쁜 소식이냐고? 너희들이 선생님을 기쁘고 행복하게 해주어서 마지막 정년까지 선생님을 잘할 수 있었던 거지……"

나는 아이들과의 마지막 인사를 방송조회로 하게 되었다. 교실로 내려와서 우리 반 아이들이 열어주는 '쫑파티'를 하고 있는데 1학년, 2학년 연임했던 5학년 수빈이가 언제나 그랬듯이 일등으로 헐레벌떡 뛰어왔다. 숨을 몰아쉬며 상기된 얼굴로 내 품에 안긴다. 아이들이 수빈이 뒤를 이어 줄줄이 우리 반으로 모였다. 직접 가르치지 않았던 친구들도 여러 명 보인다. 그중 담임 하지 않았던 6학년인 준형이도 왔다.

시간을 돌릴 수 있기를 바라는 마음을 담아, 시간을 되돌릴 수 있다는 캐릭터를 그려서 나에게 선물하면서 울먹인다. 캐릭터 뒷장에 '1학년 때 아이들과 싸워서 담임 선생님께 꾸중을 많이 들었는데, 선생님은 나를 다독여주며 내 이야기를 들어주셔서 고마웠습니다. 그때로 돌아가고 싶어 시간을 돌릴 수 있는 시계 캐릭터를 그렸습니다. 선생님 잊지 않겠습니다.' 라고 적혀 있었다. 5~6년이 지났는데, 그리고 담임도 안했는데, 그 애기 때 일을 안 잊다니……

그날 오후 학교에서 조촐한 퇴임 파티를 열어 주었다.

전날 밤에 메모한 '퇴임사'와 1등으로 급하게 뛰어온 수빈이랑 창민이 편지다.

나의 첫 번째 선생님, 김용숙 선생님

입학식을 손꼽아 기다리다, 설레는 마음 한 아름 안고 간 입학식 날, 선생님을 만났습니다. 무서울 것 같았는데 선생님의 미소는 엄마보다 더 포근함을 느꼈습니다. 그날을 잊을 수 없습니다.

이제 우리 곁을 떠난다고 하니 마음이 울컥 눈물이 납니다. 우리 학교에 함께 계신 것만으로도 큰 힘이 되었는데……

매사에 잘난 척하고 배려심 없고 일등만을 좋아하던 고집쟁이 수빈이를, 우리 반 친구들 모두를 일등으로 만들어주신 선생님 덕에 수민이 사람 됐어요. 선생님, 감사합니다.

선생님! 수빈이 꿈이 판사였잖아요. 지금은 패션 디자이너예요.

선생님이, '지금은 우리 반 모든 친구들이 다 일등이지만, 커서는 세계에서 제일가는 인물이 되라.'고 하신 말씀 기억하며 세계적인 디자이너가 될게요. 예쁜 옷 만들어 드릴 테니까 그날까지 늙지 마시고 건강하게 수빈이 기다려 주세요.

선생님 그동안 감사했습니다.

너무너무 고마운 우리 선생님, 사랑합니다.

1학년으로 되돌리고 싶은 시간.

— 선생님의 영원한 제자 수빈 올림

가을이 지나고, 겨울이 지나고

2006년 3월이 왔었어요. 새로운 가방도 사고, 필통도 사고, 행복했지요.

드디어 입학식 날, 우리 반에 아는 친구도 있었지만 선생님은 조금 무서울 것 같았어요. 며칠 지나니 1학년에서 가장 좋은 선생님이셨어요. 유치원 선생님보다 더 친절하시고 항상 미소 짓는, 제 마음에 쏙 드는 선생님이셨어요.

가끔 창문 밖 아파트 단지에 장이 서는 날 떡볶이를 파는 차에서 모둠별로 떡볶이도 사 주셨잖아요.

선생님이 들려주시던 '선생님 어렸을 적에' 이야기는 어느 이야기보다 흥미진진했어요. 너무나 좋았어요.

제가 일학년 때, '선생님은 20대!' 라고 당당하게 말씀하셨죠? 그런데 왜 벌써 학교를 떠나시는 걸까요? 시계가 고장이 났나요?

그리고 선생님 학교 떠나시는 것이 무슨 기쁜 소식이에요? 저희들 너무나 아쉽습니다. 너무나 서운합니다.

선생님! 감사하고, 사랑합니다.

— 선생님을 영원히 좋아할 백창민 올림

1970년. 경기도 안성 금광초등학교로 첫 발령을 받았습니다.

여교사가 하나뿐이라서 호칭은 김 선생이 아니라 여선생이었지요. 5년차 선배님이 계시기에 어찌 5년이나 할 수 있을까? 생각했는데 저는 41년 6개월이나 하고 마지막 퇴임 날을 맞이하였네요.

그 시절에는 남교사는 숙직하고 여교사는 일직을 하였어요. 그런데 여자가 혼자이다 보니 매주 일요일은 내가 도맡아 일직을 하게 되는 거예요. 그래서 학교 그만둔다고 올라와 버렸지요. 생각이 바뀌어서 "저 다시 할래요." 하고 지금까지 앞만 보고 달려왔습니다.

옛날 말에 '선생 뭐는 개도 안 먹는다.'는 말이 있잖아요. 하도 속이 타서요. 참으로 힘든 직업이기는 합니다. 이름 석 자도 모르는 아이들을 한글 깨우치고 셈하게 하고, 그 힘들었던 시절을 어찌 말로 다하겠어요.

그러나 지금으로부터 한 삼십여 년 전에 어떤 계기로 제 생각이 바뀌었어요. 내가 맡고 있는 아이 하나하나가 정말 소중하고 보물이라는 것을 알게 되었지요. 전에는 아이들한테 내가 가지고 있는 그 무엇을 자꾸 넣어 주려고 애썼습니다. 생각이 바뀐 후부터는 우리 아이들이 가지고 있는 그 멋진 개성과 특성을 꺼내주자라는 생각으로요.

옛날 시골에서 수도가 없던 시절, 두레박 우물대신 펌프라는 것으로 물을 푸려면 처음에 반 바가지 정도의 마중물을 붓고 펌프질을 하면 물이 계속 나오잖아요. 교육이 바로 그 원리라는 걸 알았습니다.

아이들은 누구나 무궁무진한 잠재력을 가지고 있습니다. 그 무궁무진한 잠재력을 꺼내기 위해 물 반 바가지인 마중물이 내가 아이들한테 교사로서의 역할이라고 생각합니다.

반 바가지의 마중물 역할을 위해 40여 명의 팽이를 동시에 돌리는 광대가 되었습니다. 저쪽에 있는 팽이가 쓰러지려면 뛰어가 쳐주고 이쪽에 있는 팽이가 쓰러지려면 다시 뛰어와 쳐주고……

내가 오늘 이 자리에 설 수 있게 한 것은 우리 가족의 말 없는 응원이기도 했지만, 내가 맡은 우리 반 아이들이라고 생각합니다. 이렇게 나이 많이 먹은 할머니 선생님이 될 때까지 진심으로 좋아하고, 함께 의논도 하고 나의 가르침에 귀 기울여주는 밝고 자신감 넘치는 우리 아이들을 보며 힘든 줄 몰랐습니다.

매일매일 매시간이 감탄이고 즐거움이고 행복이었습니다. 특히 올 우리 반 친구들에게 미안하면서 더욱 고맙고 예뻤습니다.

　어느 모임의 건배 멘트가 '해당화'였습니다. 해는 해마다, 당은 당당하게, 화는 화려하게.

　저도 앞날의 제2의 삶을 '해당화' 같이 살겠습니다. 여기에 계신 교장 선생님을 비롯하여 모든 분들의 도움 진심으로 감사합니다. 모두 건강하시고 행복한 나날 되십시오.

　— 마지막 퇴임 날 김용숙 올림

엄마의 뜰(41×53㎝) 유화 캔버스 2018

제2부

교실은
즐거운 곳

탁월한 선택

나는 지난번 근무하던 학교에 비해 학구 환경 즉 가정환경이 열악한 학교로 전근을 갔다. 가던 첫해 일학년을 맡게 되었다. 그 시절에는 학습에 필요한 준비물을 개인이 준비해야 한다. 크레파스, 도화지, 색종이, 공책, 연필 등 잡다한 학용품을 제때 가지고 오는 아이들이 적었다. 공부 시간에 필요한 학용품을 꼭 가지고 다니도록 아무리 강조해도 속수무책이었다. 특히 일학년 공책은 칸 수가 동일해야 바른 글자 지도를 할 수 있는데 난감하였다.

'이렇게 아이들을 나무라고, 속 태우지 말고 내가 준비해줘야겠구나. 이 생각을 왜 못했지?'

나는 학교 근처에 있는 문방구 서너곳을 다녀 봤다. 그러나 내가 찾는 바른 글자 지도하기에 필요한 공책은 없었다. 그래서 전에 다니던 학교 근처 문방구까지 가서 공책을 구입하여 왔다. 그리고 지금 학교 근처 문방구 서너 곳을 들러 세 종류의 공책을 문방구에 한 권씩 주며, 일학년에서는 이 형식의 공책만 쓰겠다고 말해주었다. 연필도 2B연필을 사용한다고 했다.

나는 우리 반 아이들에게는 2B연필 두 자루와 공책 세 권씩을 나누어 주었다. 담임이 쏜 입학 축하 학용품이었다. 다른 학용품들도 여벌로 준비해 놓았다. 내가 지도하기에 쉽고 편하기 위해 그리고 준비 안 되는 아이들과, 아이들에게 신경 쓸 여유가 없는 부모님들을 위한 작은 배려였는데, 내 마음이 기쁘고 흐뭇했다. 제 이름도 쓸 줄 모르고 입학하는 아이들이 있던 시절, 그런 아이들에게 한글 지도야 마땅히 일학년에서 끝내줘야 한다. 나는 한 명의 낙오자 없이 한글을 읽고 쓰게 했다. 맞춤법이야 틀리는 아이가 있을 수 있지만 읽는 것만큼은 모두 다 잘 읽었다.

한글 지도를 위하여 빈 낱말 카드를 많이 이용했다. 집에서 낱말 카드로 쓸 수 있는 두꺼운 종이만 있으면 오려둔다. 지금도 그런 종이만 보면 오려두고 싶은 충동이 일어난다. 그러면서 혼자 웃는다. 그때가 그리워서 그리고 그 종이가 아까워서……

바른 글자 쓰기 지도는 일학년에서 아주 중요하다. 바른 글자 쓰기는 아이들에게 꼭 필요한 집중력, 인내심, 성취감 등을 기를 수 있는 여러 가지의 중요한 점이 복합되어 있다. 그래서 나는 바른 글자 쓰기 지도에 많은 힘을 쏟는다.

'글씨는 마음의 거울'이라는 말도 있듯이 글씨를 잘 쓰면 인성 또한 좋아짐을 바른 글자 지도를 하면서 나만이 느꼈을까?

읽는 것은 아무 때나 보여 주기가 어렵지만 공책에 쓴 글자는 누구에게나 자랑하며 확인시킬 수 있다. 그래서 아이들에게 자신감도 길러줄 수 있다. 교사가 지도하고자 하는 마음을 갖고 지도하면 반 모든 아이들이 한결같이 바른 모양의 글자로 잘 쓰게 된다.

바른 글자 쓰기의 형식을 생각해 내서 일종의 공식처럼 지도한다. 처음에는 가로 세 칸으로 된 공책, 다음에는 8칸 공책으로 칸 안에 점선이 있어 방이 네 개 있는 공책들이다. 방 이름을 1번방, 2번방, 3번방, 4번방 ㅁ으로 정해놓고 글자의 네 가지 모양 ◁, △, ◇, ㅁ이 있다는 것을 글자를 예로 들면서 말해준다.

예를 들어 ◁모양의 '나'를 지도할 때

"애들아, '나'자를 쓸 거야. '나'는 ◁모양이지? 칠판을 보세요. 선생님하고 똑같이 쓰는 거야. 'ㄴ'부터 써야지? 1번방 가운데서 시작하여 2번방 중간까지 가서 4번방으로 가는데 4번방 중간 조금 위로 올라가면 더 예뻐. 아구구! 다 잘 했네."

궤간 순시를 하며 모두를 살펴준다.

"아래로 긋는 'ㅣ'를 쓰자. 3번방 중간보다 조금 올라가서 4번방으로 반듯하게 내려오는데 끝까지 내려오지 말고 끝내야 해. 마지막으로 'ㅣ'에다 점을 찍어야 글자가 완성 되지?"

아이들 공책하고 똑같은 모양을 칠판에 그려두고 사용한다. 지금이야 실물화상기가 있어 공책을 바로 놓고 쓰지만 그때는 상상도 못하던 시절이다.

처음에는 어려운 것 같지만 쓸 때마다, 글자의 네 가지 모양 ◁, △, ◇, □ 중 어느 것인지 말해주면서 지도하면 모든 아이들이 글자를 바르게 잘 쓰게 된다. 글자를 이렇게 교사와 함께 천천히 지도하면 아이들 집중력이 매우 좋아진다. 다른 친구들이 다 쓸 때까지 기다리는 인내심 그리고 하나하나 점검해주면서 잘했다고 칭찬해주면 기뻐하는 그 모습에 나도 같이 기쁘고 보람이 있다.

교사인 나는 이런 맛에 빠져 산다.

"애들아, 이 공책 엄마 아빠 꼭 보여 드려!"

"네!"

아이들은 신나한다. 엄마 아빠가 칭찬해주실 거니까……

바르게 쓴 글자에는 빨간펜으로 동그라미를 그려주고 조금 틀린 부분은 바르게 수정해주고.

"야~ 동그라미 다섯 개야!"

"나는 여섯 갠데?"

"그래도 넌 고쳐준 것 하나 있잖아? 그러니까 우리 똑같아!"

아이들끼리 서로 관심 갖고 비교하고, 자기네들이 더 잘 안다. 바르게 쓴 건지 아닌지. 여러 글자가 잘 썼으면 밑줄 그어주고 별표도 해주고 여러 가지 방법으로 아이들 흥미를 유도한다. 얼마가 지나면 지도해준 나보다 훨씬 잘 쓴다. 이래서 아이들 바른 글자 지도를 하며 내가 행복해서, 더 많이 동그라미 그려주고 별표해주고, 우리 아이들도 행복하라고……

한 번은 장학지도 나온 장학사가 우리 반 뒤에 모아놓은 우리 아이들 공책을 보게 되었다.

"어쩌면! 아이들 모두가 이렇게 한결같이 인쇄한 글자처럼 잘 쓸 수가 있나요? 선생님, 정말 장하십니다. 나도 교사 시절에 글씨 지도 많이 해 봤지만 이렇게는 안 되던데요. 비결이 있으시지요?"

"비결이 어디 있겠어요. 그냥 아이들 인정해주고 교사가 인내심 가지고 천천히 지도하는 거지요."

그래도 장학사가 칭찬해주니 우리 아이들이 자랑스럽고 우리 아이들 공책이 더 소중하게 느껴졌다.

어렵게 공책 구해서 지도한 보람이 크다.

종이판화 수업

나는 지금 생각해도 용기가 대단했고 열 번 생각해도 잘한 일이 있다. 그렇지만 지금도 그 막막했던 상황을 생각하면 두렵고 떨리기까지 한다. 나의 욕심이 너무 컸고 학습계획 구상이 무리였다. 교사는 수업할 때 보여주기 위해 욕심을 부리면 안 되는 것을 절실히 깨닫게 된 계기가 됐다.

오전, 오후반이 있던 시절이다.

해가 서쪽으로 넘어가는지 고개 숙인 내 그림자가 길게 늘여져 나를 따라온다. 나는 운동장을 가로 질러 교문으로 나가고 있었다. 아이들은 영문도 모른 채 급히 책가방을 챙겨 내 뒤를 따라 오느라 헉헉거렸다.

'아유~ 어쩌지? 이렇게 수업을 마치다니……' 수업을 끝내지도 않은 채.

"얘들아, 책가방 싸! 집에 갈 거야."

"선생님! 아직 안 끝냈는데요?"

"괜찮아, 그냥 놔두고 책가방만 가지고 나와. 치우는 건 선생님이 할 거야."

내가 아이들보고 나오라고 한 건 정말 용기 있는 선택이었다.

미술과 임상 수업이었다. 장학사의 지도를 받으며 하는 수업이다. 장학사의 지도래야 내가 작성한 학습지도안 보낸 것밖에는 별 지도받은 생각이 안 난다. 학습지도안이 잘 짜였다고 생각해서 일까?

나는 수업을 너무 무리하게 잡은 것이다. 일학년 아이들을 데리고 2시간 '미술과 종이판화' 수업이다. 내 수업을 비디오 촬영을 해서 관내 교사들에게 수업연수를 위한 수업이다.

지도 장학사와 몇 분이 참관하고 있었다. 거기다 생전 보지도 않은 촬영 카메라에 전면 TV에서는 자기들의 모습이 나오니 흥분의 도가니였다.

그날 학습 주제가 '즐거운 운동회'로, 운동회 때 즐거웠던 일을 종이판을 만들어 판화로 찍는 수업을 진행했다. 운동회 때 찍어놓은 비디오를 보여주고, 그중에서 재미있었던 것을 이야기 하면서 종이판화 제작에 들어갔다. 흥분을 가라앉히고 올망졸망 모둠별로 모여 그리고 오리고 붙이면서 종이판화 제작까지는 정말 예쁘게 잘했다. 자유스럽게 책상에 몸의 반은 올라가 엎드려서 발을 흔들며 그야말로 즐겁게 작업을 하는 모습이 귀엽기 그지없었다.

인쇄용 잉크로 화선지에 찍을 때부터 난리도 아니었다. 손은 말할 것도 없이 옷에 검은 잉크로 염색을 한 듯. 그러니 작품이 제대로 나올 리 없고 설령 좋은 작품도 손이 더러워졌으니 엉망진창이다. 그래도 작품 감상을 해야 하니 몇 작품 칠판에 붙이는데 아이들이 소리를 질러댔다.

"선생님, 선생님. 큰 일 났어요, 도와주세요. 잉크 엎질렀어요!"

정말 수습할 길이 없었다.

"아이고~ 어쩌지? 어떡하지?"

참관하고 있는 분들 아랑곳하지 않고 그냥 아이들 책가방 싸도록 하고 나 먼저 터덜터덜 걸어가고 있었다.

교무실을 가야 하는데 정말 창피하고 면목이 없었다. 그러나 사과라도 드려야겠기에 교무실 문을 열고 고개를 숙이려는 찰라였다.

"선생님, 수업 정말 잘하셨어요. 훌륭한 수업입니다. 아주 자연스런 살아 있는 수업입니다. 깔끔하게 뒷마무리는 못할 수도 있지요."

그는 박수까지 쳐주면서 몹시 상기된 표정으로 말을 했다.

나는 어안이 벙벙했고 그때의 힘들었던 상황이 가끔 생각난다.

하지만 거기에서 근무한 4년이 나를 많이 성장시켰다.

환경이 어려운 학부모일수록 자식에게 기대하는 게 크다. '개천에서 용 난다'고 집안을 바꿀 수 있는 것은 자식이 잘되는 것뿐이라고 믿고 공부 잘하기를 염원한다. 그런 아이들에게 관심을 갖고 사랑해주면 진심으로 고마워한다. 열악한 환경의 아이들일수록 교사의 조그마한 관심과 사랑이 큰 결과를 가져온다. 조금 참고 인내하면 모든 아이들이 좋아진다. 나는 그것을 확신한다.

학부모들의 고마워하는 마음이, 아이들이 성장하는 과정이, 나에게 에너지로 보상받아 열정을 가질 수 있었을 것이다.

그 시절 학교 주변에 매식을 할 수 없는 여건이었다. 하루는 교무부장 선생님이 나에게 어려운 부탁이라며 학교 식당을 운영하자는 제의를 해왔다. 도우미 아줌마의 도움을 받아 교사들의 점심을 해결하는 방안이었다. 나는 매일의 점심 메뉴를 짜고 관리를 해야 하는 어려운 일이었지만 교무부장 선생님의 어렵게 제안하는 것을 물리칠 수가 없어 학교 옮길 때까지 이어했다. 그날 이후 모든 선생님들이 맛있는 점심을 먹을 수 있었다.

또 직원 친목 행사인 야유회 때에 친목회 간사로서 전 직원 40여 명 분량의 식사 준비는 물론 간식까지 밤새 혼자 준비했다. 빈손으로 편안하게 즐거운 마음으로 참석하도록 했다. 점심과 간식을 먹으며 모든 선생님이 고마워하고 즐거워했다.

그때 얼마나 많은 양이면 택시에는 싣지 못할 분량이라 동네 쌀집 트럭을 이용했던 일이 있었다. ✈

교사가 아이들을 잘 지도하려면 나 혼자가 아니라 동료 교사들과의 친목과 유대감이 절실히 필요하다.

오전, 오후반 같은 교실을 사용했던 그 당시 연구주임 이기찬 선생님이 '최선을 다하는 선생님'이라는 글로 내 이야기를 교총 신문에 기고해서 소개하였다. 고맙고 감사하다.

일기, 왜 아이들에게는 매일 쓰라고?

'일기'하면 떠오르는 웃지 못할 일기 사건이 있다.

나는 새로 부임한 학교에서 첫해 5학년을 하고 다음해 희망해서 6학년을 맡게 되었다.

일기쓰기는 매일하는 숙제였다. 지금은 아이들의 사생활 보호와 인권 침해 논란 때문에 내용을 읽지 못하는 경우도 있다니 씁쓸하다.

우리 반 부반장의 일기 글이다.

199○년 9월 ○일 (화) 날씨 맑음
15일만 있으면 즐거운 추석이 온다. 참 기다려진다.
199○년 9월 ○일 (수) 날씨 맑음
14일만 있으면 즐거운 추석이 온다. 참 기다려진다.
199○년 9월 ○일 (목) 날씨 맑음
13일만 있으면 즐거운 추석이 온다. 참 기다려진다.

199○년 9월 ○일 (금) 날씨 맑음

12일만 있으면 즐거운 추석이 온다. 참 기다려진다.

199○년 9월 ○일 (금) 날씨 맑음

드디어 즐거운 추석날이다. 참 즐거웠다.

199○년 9월 ○일 (토) 날씨 맑음

즐거운 추석이 벌써 지나갔다. 다음 추석이 기다려진다.

199○년 9월 ○일 (일) 날씨 맑음

즐거운 추석이 2일 지나갔다. 다음 추석이 기다려진다.

'언제까지 이렇게 쓰려나?' 기가 막혔지만 야단치지 않고 기다려 봤다. 한 달여를 이렇게 쓰고 있는 것이었다.

웃어야 하나, 울어야하나?

그렇게 일기를 쓴 성재를 남겨서 이야기를 나누었다.

"성재야, 이거 네 일기 맞지?"

성재는 장난기 띤 얼굴로 씨익 웃으면서도 긴장돼 있었다.

"네! 제 일기 맞는데요."

"그런데 일기 내용이 왜 이래?"

성재는 약간 반항하는 어투로 말을 한다.

"선생님! 그 일기 글 틀린 것 하나도 없잖아요?"

성재는 당당히 나한테 따지고 있었다.

"그런가? 그래! 다시 한 번 보자. 일기 글, 형식도 맞고, 또 틀린 내용도 없고, 자기의 느낌도 썼네? 그럼, 칭찬해줄까?"

성재는 약간 겸연쩍어 하며 얼굴을 붉힌다.

"성재야, 전에는 일기 내용 좋다고 여러 번 칭찬 들었을 텐데, 이 일기 보면서 언제까지 이렇게 쓰나 선생님은 기다려 봤거든. 그리고 이유가 많이 궁금했단다. 선생님 알면 안 될까?"

한참 후에야 성재는 조심스럽게 말을 한다.

"일기 쓸 때 엄마의 잔소리가 너무 심해요. 일기를 매일 길게 쓰라고 해요. 한 장은 넘겨야 한다고요. 그리고 막 자고 싶어 자려고 하면 일기 썼니? 일기는 자기 전에 쓰는 거야. 다 쓰고 엄마 보여주고 자. 이러셔서 정말 짜증나요. 이제는 일기 쓴 거 엄마 안 보여줘요."

나는 성재의 솔직한 이야기를 듣고 일기 지도에 대한 많은 생각을 하게 되었다. '얼마나 일기가 쓰기 싫고 부담이 갔으면 이렇게 썼을까?' 나는 그날 성재에게 쓰고 싶을 때만 일기를 쓰도록 허락해 주었다.

일주일에 한 번도 좋으니 쓰고 싶을 때 쓰는 것으로 마무리 지었다.

그리고 성재 엄마를 만나서 상담하고 성재 일기장을 보면서 둘이는 한참이나 많이 웃었다. 성재 엄마는 나하고 같은 학교에 근무하는 모범 교사였다.

그 사건 이후 성재는 일주일에 몇 번씩 좋은 일기를 썼다.

그후 나는 아이들 일기 지도할 때마다 웃지 못할 오래전, 성재의 추석 일기가 떠오른다. 그래서 또 혼자 웃는다.

엄마가 아이의 일기 쓸 소재를 만들어주기 위해 여행도 다니고 외식도 하며 여러 가지 체험을 하게 하면, 일기 쓰기가 훨씬 수월하겠지만 그렇게 할 수 없는 엄마들이 더 많다.

교과서에서 한 번 배운 일기를 숙제로만 내주면 아이들이 일기 쓰기를 너무나 어려워하고 싫어한다. 엄마와 아이와의 전쟁이 시작된다.

나는 일기 지도를 할 때면, 아침 활동 시간에 독서 활동 대신 일기 쓰기 지도를 한다. 그것은 부모님들의 막막한 일기 지도의 애로점도 감해줄 수 있다.

1교시 시작 전, 30분 동안 일기 지도를 집중적으로 한다. 어떤 날은 1교시까지 연장하여 지도할 때도 많다.

일기 글의 종류는 여러 가지로 다양하다. 예를 들어 보면
1) 생활 일기-솔직하고 살아 있는 글
2) 동시 일기-동시형식의 글
3) 편지 일기-편지 형식의 글
4) 관찰 일기-수학, 과학실험, 탐사, 보고서 형식의 글
5) 독서 감상 일기기-독서 감상문 형식의 글
6) 기행 일기-다양한 여행담 형식의 글

이외에도 다양한 일기 형식이 있다.

일기 형식 중 그날의 날씨를 맑음, 흐림, 비, 눈, 이렇게 간단하게도 쓰지만, 날씨를 자세히 관찰하여 그것을 글로 표현하게 한다. 관찰력도 좋아지고 아이들은 각자의 생각과 느낌이 들어 있는 다양한 문장으로 나타낸다.

그러나 문장으로 표현하기 어려운 아이에게는 '맑음, 흐림, 비, 눈' 중에서 골라 쓰도록 한다. 조금 기다려 주면 그 아이들도 기발한 생각으로 표현을 잘하게 된다. 날씨만 잘 관찰하여 표현하게 해도 글쓰기의 실력이 크게 향상되는 효과를 볼 수 있다.

그리고 일기 주제는 전날 학교에서 있었던 일을 서너 가지 칠판에 제시해준다. 그 주제를 가지고 아이들과 생각이나 느낌을 발표한 후 일기 쓰기를 하게 하면 아이들 각자 자기 생각이 들어간 좋은 표현의 일기 글이 나온다. 같은 주제라도 자기만의 생각이 살아서 움직이는, 그런 좋은 일기 글이 된다.

하지만 그때그때 글자가 틀린 것을 바로 고쳐주거나 지적하게 되면 글자에만 신경을 쓰게 되고, 지우기를 많이 하다보니까 정작 쓰려고 생각했던 것을 쓰지 못하고 아이들은 금세 글쓰기를 멈추고 만다.

글자 틀린 것과 문맥이 잘 연결 되지 않은 것은 다 쓴 후에 고쳐보도록 한다. 그리고 교사가 지도하면 된다. 처음부터 길게 쓰는 것은 별 의미가 없다. 한 줄이라도 자기가 표현 하고 싶은 것을 쓰도록 하고 칭찬하여 주면 된다. 무엇이든지 다 똑같이 처음부터 잘할 수는 없다. 자신감을 갖도록 잘한 부분에 칭찬과 격려가 필요하다.

아이들의 일기 지도를 두 주일 정도 하면 아이들의 일기 글은 급속도로 성장한다.

학교에서 일기 지도가 충분히 되었을 때 그때부터 일기 숙제를 낸다.

일기 검사는 시간을 내어 자세히 읽어보고 그때그때 아이에게 맞는 선생님의 칭찬과 격려를 꼼꼼히 적어준다. 일기 검사하며 교사가 써주는 글은 잘못한 것을 지적하거나 꾸중하는 내용은 금물이다. 아이들이 쓰는 일기는 삐뚤빼뚤 글씨에 문장도 매끄럽지 않다. 하지만 자세히 읽어보면 그 아이만의 무엇인가가 들어 있다. 그 부분을 찾아내어 칭찬이나 같이 공감해 주는 글을 써준다. 그래야 아이들이 일기 쓰기를 좋아하고 일기장 돌려받는 시간을 기다린다.

"얘들아, 일기장 나눠 줄게. 오늘은 누구 일기를 읽어줄까?"

아이들은 조용히 기다린다.

"음~ 날씨 표현 잘한 것 읽어줄게. '추워서 덜덜덜 하얀 눈꽃 세상이네. 썰매장처럼 미끌미끌, 할머니 할아버지 조심조심.' 눈 온 날 날씨를 재미있게 표현했지요?"

아이들은 자기 일기 글을 더 읽어줄까. 기다리는 눈치다.

"읽어줄 친구 많은데 일기장에 칭찬 썼으니까, 일기장 받아 읽어봐요. 그리고 일기 낸 친구들 다 잘 썼어요. 칭찬합니다."

아이들은 일기장을 돌려받으면서 잠시 흥분한다. 선생님의 글이 궁금해서이다. 비밀 편지라도 읽듯 반쯤 펴서 남이 볼세라 혼자 배시시 웃거나, 떠들면서 친구들에게 자랑하기도 한다. 일기를 써오는 아이들에게 주는 담임의 특별한 보상이자 아이들을 행복하게 만드는 일이다.

아침 시간에 쓴 성한이의 일기 글과 유진이가 쓴 일기 글을 소개한다.

날씨 : 하늘이 파란 색종이 같다

제목 : 자석놀이

아침에 학교에서 자석놀이를 했다.

여러 가지 물건을 만들어 클립을 끼워 상자 안에 넣어놓는다.

자석을 실로 묶어 자석 낚싯대를 만들어서 낚시를 하는 놀이이다. 놀이를 시작하였다. 고기가 잘 잡혔다.

앗! 갑자기 오징어가 잡혔다. '집에 가서 오징어볶음을 해 먹어야겠다.' 그런데 또 앗! 요번엔 오랜만에 고등어가 잡혔다. '집에 가서 엄마한테 고등어를 구어 먹자고 해야겠다.'

와! 이번엔 전기뱀장어가? '지지지지 지지지지' 내 옷이 다 타

버렸다. 우와! 요번엔 부릉부릉 자동차가 나왔다. '우리 아빠에게
새 차 선물해야지. 껄껄껄 좋아하시겠지?'

물속에서 자동차까지 나오니까 무척 신기했다. 정말 재미있는
자석놀이였다.

날씨 : 안개가 많이 끼고 쌀쌀한 날
제목 : 새 학년, 기쁨보다는 아쉬움!

새 학년, 새 학기, 새 친구 모두가 새롭게 시작되는 것이다.

나도 한 학년 높은 4학년으로 올라간다. 그런데 기쁘지만은 않
다. 왜 그럴까?

기쁨과 슬픔 등 함께 감정을 나누고 때로는 싸우기도 했던 친구
들, 그 친구들과 함께했기에 나는 이처럼 밝고 명랑한 아이가 된
것이다. 그런데 그 아이들과 떨어져야만 하다니 너무 슬프다.

나의 걱정을 마술같이 쓸어버리고 다듬어 주셨던 우리 선생님.

내가 잘못했을 때는 정당하게 꾸짖어 주시고 내 숨어 있던 능력
을 끄집어 내 주신 우리 선생님.

우리 반의 판사, 검사이셔서 걱정거리나 잘잘못을 가려주시고
목소리 한 번 크게 내시면, 우리 반 전체가 쥐 죽은 듯 조용해지는
그런 마술사 같은 우리 선생님. 이렇게 헤어지면 언제 우리 반이
다시 만날까? 영영 못 만날 것도 같아 괜히 아쉽고 싫은 것이다.

희망찬 새 학기!

재잘거리는 친구들, 의욕 넘치시는 선생님과 헤어지지 않으면 희망찬 새 학기가 기쁠 텐데, 참 아쉽다.

영어 연수, 우리 아이들 때문에 살았다

잘하는 게 별로 없는 나였지만 유독 영어는 못한다. 교육대학에 들어간 이유 중 하나가 초등학교에서는 영어 과목이 없던 시절이었다. 그런데 세월이 흘러 영어가 초등학교에서도 정식 과목이 된 것이다.

그래서 영어 연수라는 걸 받아야 한다. 나는 영어 연수를 받아서 실력이 늘 처지가 아님을 너무나 잘 안다.

"나, 영어 연수받으라고 하면 그 즉시 학교 그만둬야 해."

동료 교사들과 웃으며 늘 하던 말이었다.

다행히 내 차례는 오지 않는 것 같았다.

3학년을 맡던 그 해, 3학년부터 영어를 가르치게 되었다. 그러나 별 문제가 없었다. 우리 반 아이들에게 사실대로 말했다.

"선생님은 영어를 잘 못하지만 잘 가르쳐 줄 수 있어. 좋은 영상프로그램이 있으니까. 선생님 발음이 옛날 발음이라 나쁠 때는 그것은 너희들이 고쳐줘야 해."

아이들은 선생님이 잘못한다는 말에 더 신이 나는지 깔깔거리며 재미있어 한다.

"네, 저희들이 이상하게 발음하면 고쳐 드릴게요."

난 우리 아이들과 별 격이 없이 지낸다. 3학년 영어는 쉬우니까 그리 어려움 없이 1학기를 지도했다.

단원 마지막 차시에 역할놀이가 있다. 모둠별로 각자 역할을 맡아 실제 영어로 놀이하는 시간이다. 가끔 우리 반 아이들은 교과서에 있는 것은 너무 시시하다며 자기들이 꾸민 것을 해도 되냐고 묻는다. 당연히 하도록 해준다. 동화, 고전 등에서 소재를 찾아, 재미있는 표현으로 우리 반을 웃기고 즐겁게 한다. 어떤 때는 영어로 역할놀이를 하고 나서 모두 밝은 표정들이다.

"선생님! 한 번 더 해야 해요."

"왜? 잘하던데……"

"흐응~ 선생님을 위해서요."

"뭐가 선생님을 위해서야?"

"선생님은 영어로 할 때 잘못 들으실 수도 있잖아요. 선생님을 위해서 우리말로 한 번 더 할 거예요."

나~ 참, 웃어야 하나 울어야 하나? 선생님을 배려한다는 이유로 두 가지 다하고 싶은 것이다. 나는 가끔 그 생각이 나면 저절로 웃음이 나온다.

그렇게 재미있게 영어 수업을 하고 있는데 갑자기 교감 선생님이 찾아왔다.

"선배님, 이번 여름방학 영어 연수 가셔야겠어요. 우리 학교에서는 영어 연수 안 받은 선생님이 선배님밖에는 없어요. 가시는 걸로 명단 올리겠습니다."

정말 받기 싫었다. 여태 영어 연수받으라고 하면 학교 그만둔다고 해 왔는데, 어렵게 명퇴까지 철회해놓고 영어 연수 때문에 그만둔다는 것은 말도 안 되었다. 그런데도 불구하고 영어 연수는 시작되었고 매일 진땀 빼며 그 힘든 연수를 받고 있었다. 그런데 이건 또 어찌해야 할까? 영어로 20분간 수업을 해야 한단다. 막막했다. 그러다 생각난 것이 우리 아이들의 역할놀이였다.

'그래, 우리 아이들을 데리고 역할 놀이 수업을 하는 거야.'

급기야 대본을 짜고 아이들에게 연락을 하고 학교에 모여서 연습까지 했다.

아이들이 모여 서로 장기자랑을 하면서 특히 조성희가 잘하는 민요 '군밤타령'을 멋들어지게 부르고 끝나는 것이다. 조성희는 '전통 음악제'에도 내보냈던 아이다.

나는 몇 마디 영어를 안 하고도 훌륭히 수업을 마칠 수 있었다. 거기 모인 연수생들에게는 청량제가 되었고 나는 우리 아이들 덕분에 살았다. 지금 생각해도 좋은 아이디어였다. 궁하면 통한다고.

연수생들의 요청으로 다른 곡도 몇 곡 더 불렀다. 박수갈채

를 받으며, 잘난 우리 아이들 때문에 살았다. 휴~

2학기에는 내가 영어를 지도하지 않게 되었다. 영어 전담 교사 제도가 생겼다. 그래도 내가 가르치는 게 더 재미있었다고 쫑알대는 우리 아이들.

학부형 대연 엄마가 보낸 편지 글이다

선생님, 우리 아이의 책표지를 싸면서 선생님을 떠올립니다. 반 모든 아이들을 사랑하고, 지치지 않는 그 열정적인 모습으로 아이들을 지도하시는 선생님을요.

지난여름 그토록 땀 흘리며 영어 연수를 받으셨는데, 영어 수업을 못하게 되었다는 얘기를 듣고 얼마나 속상했는지 몰라요. 이번 학기 영어 수업에 대한 여러 가지를 계획해 놓으셨죠? 선생님의 불타는 열의를 제가 잘 아니까 더 속상하네요.

선생님, 선생님의 가르침에 대한 그 열정과 자신감을 존경합니다. 모든 선생님들이 '선생님과 같은 가르침을 하신다면 얼마나 좋을까?'라고 많이 생각하곤 합니다.

선생님, 새 학기를 맞이하여 힘내시고 파이팅!

— 선생님의 영원한 팬 대연 엄마 올림

알림장을 통한 인성지도

　나는 학년 초, 학부모 총회 또는 개인적으로 상담이 있을 때 자주 이런 말을 듣는다.

　"선생님, 우리 아이는 공부 잘하는 것보다 바른 인성을 가진 아이로 자랐으면 좋겠어요!"

　엄마들 대부분이 나에게 그렇게 말한다.

　요즈음 부모가 바른 인성으로 자녀를 키운다는 게 너무 어렵고 또한 바른 인성으로 자랄 수 없는 환경인 것을 잘 알고 있기 때문일까?

　사실 엄마들의 진짜 속마음은 공부를 잘하는 아이를 먼저 원하고 있을지 모른다. 그러나 공부는 학원에서도 할 수 있지만 사교육으론 할 수 없는 자녀의 바른 인성을 부탁하는지도 모르겠다.

　인성은 하루아침에 이루어지는 것도 강제로 시킨다고 이루어지는 것이 아니다. 학교에서 모든 것을 다해줄 수도 없다.

가정과 학교가 연계해서 지도할 때 효과가 가장 크다고 생각한다.

그래서 나는 알림장을 이용한 인성 지도를 생각하게 되었다. 가정에서 부모와 자녀 간의 자연스런 대화야 말로 내 아이를 바른 인성을 지닌 아이로 성장시킬 수 있다고 본다.

아이들과 부모와의 자연스런 대화도 참으로 어렵다. 거의 엄마의 주문식 잔소리다.

학교에서 '엄마'를 연상하는 낱말을 찾게 하면 제일 먼저 나오는 말이 "잔소리!" 두 번째가 "공부!"다. 학년이 높아지면서 더욱 두드러지지만 아이들은 엄마의 잔소리가 정말 싫고 공부하라면, 하려고 했던 공부마저도 짜증내고 공부하기를 싫어한다.

나도 어렸을 적에 집안을 청소하려고 빗자루를 가지러 가고 있을 때 마당이나 부엌에 계시던 엄마가 큰 소리로 "용숙아~ 청소 좀 해라!" 하는 말씀을 듣게 되면 빗자루를 집어 던지고 청소를 안 하고 싶었던 기억이 너무나 생생하다. 공부도 마찬가지였다.

예나 지금이나 엄마의 잔소리와 공부 좀 해라 하는 소리를 지겹다고 표현한다. 잔소리 대신, 학교생활이나 그 외의 것들을 자연스럽게 묻고, 우리 아이의 생각을 알아내어 믿어주고, 격려하며 자연스럽게 대화를 나누어야 한다.

나는 부모와의 대화를 학교생활로 시작할 수 있도록 그날그날 학교생활을 간략하게, 필요에 따라서는 알림 쪽지 글과 긴 내용의 글을 인쇄물로도 보내드리게 되었다.

내 아이가 학교에서 무엇을 어떻게 배우고 왔는지, 또 내 아이 반 아이들은 어떻게 지내고 있는지를 부모가 정확히 알아야 원활한 의사소통이 이루어질 것이다.

부모와의 대화를 위해 나는 그날그날 학교생활을 바로 알 수 있도록 알림장을 썼다.

간단한 예로 다음과 같이 썼다.

'비가 와서 그런지 아이들 학습수업 분위기 나빴음. 거기다 싸운 친구가 2명 있음.'

'글쓰기 잘한 친구가 많아요. 장원한 친구가 5명 나왔음. 칭찬합니다!'

'구구단 7단 외우기 매우 잘함. 조금 부족한 친구 3명. 노력하기 바람.'

혹시 내 아이가 싸웠는지, 장원한 친구는 누구였는지, 구구단 외우기 부족한 친구는 내 아이가 아닌가?

내 아이와 얘기하면서 우리 아이의 글쓰기 책도 보고 구구단도 외워 보면서 자연스레 대화를 나눌 수 있으리라.

이때 꾸중은 절대 금물이다. 내 아이를 이해하며 믿어주고 칭찬과 격려만이 필요하다. 그래야 엄마와 대화하기를 즐겨하고 바른 인성을 가진 아이로 성장한다.

나는 우리 아이들에게 엄마와 대화를 했는지 수시로 알아본다. 손을 들어보게도 하고 가끔은 엄마가 무슨 말씀을 하셨는지도 개별적으로 물어본다.

인터넷이 발달되지 않았을 때에는 사실 어려움이 많았다. 지금은 인터넷이 발달되어, 학교 홈페이지를 이용하여 전달하기 때문에 부모들의 직장에서도 바로 알 수 있어 아이와의 교감이 더욱 쉽게 되었다.

홈페이지에 알림을 한 후부터는 훨씬 쉬워서 우리 반 모습이 안 봐도 다 파악이 될 수 있을 정도로 소상히 알렸다. 다른 업무가 많아도 학부모께 알림이 우선순위다. 당연히 알림장을 매일매일 보게 되어 학교에서의 궁금증이 해소되고, 아이들의 인성 지도는 물론이고 학급 일에도 적극적인 모습으로 도와주는 우리 엄마들의 모습도 바뀌었다.

어느 날 퇴임 후 기간제 교사를 하고 있는 후배를 길에서 만났다.

"선생님! 선생님 반 홈페이지에 매일 들르는 단골 팬입니다."

"어머, 그래. 그런데 왜 매일 들어오는데요?"

"어쩌다 한 번 들어갔는데 선생님 알림장이 너무나 재미있고 감동적이에요. 자꾸 들어가고 싶어요. 그런 걸 중독성이라고 하나요?"

그러면서 선생님 반 아이들은 복 받았다느니, 엄마들은 아이들 학교생활을 훤히 알 수 있어 아이들 관리하기가 참 좋겠다느니, 역시 훌륭한 선생님이라고 나를 한참이나 추켜주었다.

　"명 선생, 고마워. 어쩐지 조회 수가 많다 했더니 명 선생까지 볼 줄이야."

　명랑하고 붙임성 많은 명 선생이 그날따라 더 친근하게 느껴졌다. 그리고 참 고마웠다. '알림장을 통한 인성교육' 제대로 하는 것 같다.

　어느 해 3학년을 맡고 한 달여 지났다.

　나는 아이들이 나하고 한 달 지냈는데 어떤 점이 변했는지, 좋아진 점, 더 고쳐야 할 점 그리고 친구 관계를 알아보기 위해 질문지를 보냈다. '선생님께 드립니다.'라는 답변서에, 자녀에 대한 이야기는 매우 진솔하였고, 담임에 대한 감사의 글은 나를 감동하게 하였다.

　그중 영태의 이야기다.

　영태는 학기 초 많이 부진한 아이였다. 기초학습 능력이 뒤떨어져 개별 보충학습이 필요했고, 기운이 세서 아이들을 힘으로 몰아붙이기도 하여 아이들과의 마찰 또한 많았다. 그런 영태가 달라져 가고 있었다.

　영태 엄마의 답글은 참으로 신선하고 문체가 특이했다. 말이 중복되고 제대로 이어지지 않는 부분도 많았다. 그래서 나의 마음을 더 크게 감동시켰는지 모른다.

영태 엄마 외 모든 엄마들이 질문지에 대한 답글을 보내주셨다. 그중 영태 엄마의 글을 조금 수정하여 옮겨본다. 다른 엄마들의 글은 다 옮기지 못하고 부분적으로 발췌한다. 엄마들의 답글을 종합하여 분석한 결과와 학부모께 부탁한 '알림장'이다.

선생님께 드립니다

새싹은 봄을 기다린 듯 우리들에게 인사하지요. 영태 엄마도 이처럼 선생님께 감사의 인사를 올립니다.

부족한 우리 자식 영태를 한결같이 챙겨주시고 감싸 안아주심에 저희 부모 진심으로 감사드립니다.

새봄이 행복을 안겨주는 것같이, 선생님께 받는 고마움이 행복한 마음으로 안겨집니다.

선생님! 저희 부모 영태에게 책임을 다하지 못한 점, 선생님께 용서를 빕니다. 저희 부모 노력하겠습니다.

제가 영태에 대해 말씀드리겠습니다. 우리 영태는 1,2학년 때와는 비교도 안될 만큼 좋아졌습니다.

부모 말도 잘 듣고, 집에서도 공부 많이 하고 있습니다. 학업 성적이 많이 발달하고 있습니다. 학교에서는 발표도 많이 한다고 자랑합니다. 모든 게 선생님 덕분입니다.

3학년 새 학기로 인해 자신감이 있고 활발해졌습니다. 그것은 우리 영태에게 주시는 아낌없는 칭찬과 격려 덕분입니다. 베푸신 은혜 감사할 따름입니다.

바쁘게 사는 영태 부모, 힘내서 열심히 일하겠습니다. 선생님 감사합니다.

— **영태 엄마 올림**

■ 무엇보다 우리 주희는 학교생활 참 재미있어 하니까 얼마나 예쁜지 몰라요. 그리고 우리 주희는 선생님을 너무 좋아해요.

"다녀오겠습니다. 다녀왔습니다."라는 말 속에는 항상 무언가가 있어요. 학교생활이 재미있고, 즐겁고, 꿈과 희망이 새록새록 피어나는 것 같아요.

■ 우선 우리 아이들이 공개 수업 잘하였다니 축하드립니다. 도입 단계 수업 자료로 우리 아이들 녹음한, 아이들의 목소리는 정말 환상적이었습니다. 꼭 아역 성우들 같았습니다.

■ 칭찬을 많이 받아서인지 많이 밝아졌습니다.

■ 선생님의 말씀 말씀에는 '아이들을 너무나 사랑하시는구나!' 그런 느낌을 항상 받습니다.

■ 재봉이가 선생님을 너무나 잘 만났습니다. 감사드립니다.

인생에 있어서 내가 누구를 만나느냐에 따라서 내 인생이 바뀌고 그래서 그 만남은 아주 소중한 부분이지요.

■ 수업시간이 어떻게 가는지 모르고 수업시간이 재미있다고 합니다.

■ 가방 내려놓기 무섭게 컴퓨터나 TV만화만 보았는데 얼마 전부터 리코더 연습을 수시로 하는 모습으로 바뀌었습니다.

■ 3학년이 되어서는 자신 없어 쓰기 싫어하던 일기도 쓰고요. 학교생활 이야기며, 친구 이야기, 선생님 이야기를 많이 들려줍니다.

■ 선생님 너무 감사해서 우리 가족 모두가 선생님께 복 드리고 싶습니다. 선생님께서 보내시는 '쪽지 알림장'을 볼 때마다 글 속에서 선생님의 마음과 열정을 느낍니다. 선생님이 고생하는 것처럼 가정에서도 제2의 학교가 되도록 아이를 돌보겠습니다. 우리 가족 모두가 외칩니다. "선생님 사랑해요!"

■ 3학년이 된 후 리코더와 연극에 푹 빠져있습니다. 옆에서 보면 흐뭇합니다.

■ 우리 아이들 작은 부분까지 많이 신경 써주셔서 감사합니다.

■ 선생님께서 발표할 기회와 방법을 많이 지도해 주신 덕분에 발표를 잘할 수 있게 되었다고 자랑합니다.

■ 항상 웃으시는 선생님이 너무 좋다고 표현하네요. 선생님이 다정하시다는 표현이라서 더욱 좋습니다.

■ 학교 가기를 너무 좋아합니다. 그래서 가끔은 협박 아닌 협박을 합니다. "너! 또 그러면 학교 안 보낸다!" 그러면 바로 정정됩니다.

■ 전년도에 왕따를 당했는데 조심스럽습니다. 지금은 잘 지내는 것 같습니다. 살펴주세요.

■ 우리 아이랑 몇 명의 친구들이 돈을 가지고 다닙니다. 지도해

주세요.

질문지 답글을 읽고 어머니들께

목마른 대지에 단비가 촉촉이 내리더니 상큼하리만치 아름답네요.
그간 가정이 편안 하셨지요?

어머님들이 보내주신 글이 너무나 가슴에 와닿습니다.

집에서 모두가 귀한 자식, 학교에서도 정성껏 키우고 있습니다.

학기 초보다 얼굴빛도 밝아지고 즐겁게 학교생활을 하면서 의욕
을 보이고 있습니다. 그런데 시험일정이 있어서 우리 아이들 심한
스트레스나 받지 않을까, 그리고 결과에 낙심하지는 않을까 딱하
고 안쓰럽습니다.

어머님들! 너무 욕심부리지 말고 아이에 맞게 조금만 공부시키
시기 바랍니다.

앞으로 멀리 갈 여정이니까요.

어머니들께서 보내 주신 글 속에는 전반적으로 ①학교생활을
즐거워하고 ②스스로 공부하려는 모습이 보이고 ③발표력이 향
상되어가고 ④친구관계 원만하며 ⑤집에 와서 학교 얘기를 즐겨
한다고 말씀해 주셨습니다.

그러나 ①돈을 가지고 다니는 친구가 있는 것 같고(담임은 눈치채
지 못하였음) ②더 많은 친구를 사귈 수 있기를 바라며 ③느린 행동
에 대한 지도도 부탁 말씀해 주셨습니다.

그래서 다시 부탁의 말씀 올립니다.

①학교에서는 돈이 절대로 필요 없습니다. 학교에 돈 가지고 오는 일이 없도록 해 주세요. ②좀 더 많은 친구를 사귈 수 있도록 모둠 원을 자주 바꿉니다. 관심 갖고 친구에 대해 이야기 나눠주세요. ③느리거나 거친 행동은 조금씩 조금씩 나아지리라 믿습니다. 개인 개인에 대해 관심 갖고 지도하겠습니다.

학년을 마치며

세월이 빠르다고 하지만 유난히 빠름은 내가 나이를 먹었다는 증거인가 합니다.

1년 동안 담임을 신뢰하며 우리 아이들 맡겨 주신데 진심으로 감사의 말씀 올립니다.

우리 아이들 한 명 한 명 모두가 소중하고 귀한 아이들이었습니다. 항상 즐거워하며 열심히 학교생활해 준 우리 아이들에게는 한없는 사랑과 정을 느낍니다.

시간 시간마다 힘든 때도 많았지만 행복할 때가 더 많았습니다.

자라는 우리 아이들은 꿈나무 그 자체입니다. 자기 의견과 주장을 내세우며 토의하고 발표할 때는 숙연해지기까지 합니다.

이 힘든 시대에 교사의 자부심과 긍지를 높여준 우리 아이들이었습니다. 한 명 한 명 잘 살펴주고 길러주겠다는 생각으로 애는 썼습니다만 부족한 점도 많았다는 것 돌이켜 봅니다. 벌써 일 년을 보내고 한 학년 올려보낸다고 생각하니 기쁘면서도 섭섭하기 그지없습니다. 잘 키운 딸 시집보내는 어미 마음일까요?

학년 말이 되면 가끔 이런 걱정을 하는 엄마들을 종종 봅니다.

"선생님 덕분에 우리 아이 학교생활 잘해서 감사합니다. 그런데 학년 올라가서 어느 선생님이 담임을 해 주실지 불안하고 겁이 납니다. 그리고 그 선생님 반은 안 됐으면 좋겠고요."

나도 아들 딸 그리고 지금은 손자들 담임에 많은 신경이 쓰이곤 합니다. 엄마들의 그 심정을 충분히 이해합니다. 그러나 부모를 내가 선택하지 못하는 것처럼 담임도 내가 선택할 수 없는 것이지요.

나쁜 선생님이 어디 있겠어요? 제각각 특성이 달라 그렇게 보이는 거지요. 그렇지만 이렇게 생각해 봅시다. 만약에 제가 해님이었다면 해님 같은 선생님이 담임을 계속하면 그 아이는 온실 속의 화초나 마찬가지겠지요. 잠깐의 비바람, 무더운 더위와 가뭄에도 잘 견디도록 옆에서 칭찬하고 격려해주면 크고 튼튼한 재목이 되지 않을까요? 어느 분이 담임을 하든 그 선생님을 믿고 따르면 아이에게 좋은 결과가 있으리라 생각됩니다. 걱정하지 마세요.

가정에 항상 좋은 일만 있길 바랍니다.

— 담임 김용숙

즐겁고 신바람 나게

중·고등학교도 마찬가지겠지만 초등학교에서도 교과마다 교육부에서 법적으로 제시한 시간 수대로 이수해야 한다.

학교마다 학기별로 교육과정을 계획해서 그 '교육과정 계획안'에 맞춰 아이들을 지도한다.

학년부장의 주요 업무 중 하나다. 교과 간의 관련성, 계절의 적정성, 지역성, 아이들의 환경 또는 학부모의 관심사 등 많은 것을 고려하여 계획을 치밀하게 구성해야 한다.

교사의 전문성을 강조하는 교육과정 재구성을, 교무부장을 중심으로 업무부장과 학년부장이 머리를 맞대고 계획한다.

교과 단원마다 차시가 정해져 있지만, 교과서를 분석해보면 가감할 수 있는 시간도 나온다. 다른 교과와 통합하기도 한다.

세밀하게 분석해서 우리 아이들에게 최상의 교육이 되도록 작성해야 한다. 이렇게 작성된 교육과정으로 학년을 운영하여야 아이들이 바람직하게 성장하는데 큰 도움이 된다. 적당히 시간 수만 맞추는 게 아니다. 교사의 열정과 전문성을 필요로 한다.

나는 활동 위주의 시간을 많이 할애한다. 그래서 일 년에 1학년이 12차례 정도 체험학습 활동을 할 수 있었다. 아이들이 즐겁고 신바람 나는 학교생활을 하는 것이다.

아이들과 아이들을 위한, 신나고 재미있는 교육활동이야말로 교사들 또한 흥미 진진하고 활력이 넘친다.

우리 아이들과 함께하는 수영장 체험, 아이스링크장 체험, 눈썰매장 체험, 박물관 견학, 연극 관람, 알뜰시장 등 다채롭다.

교장 교감 선생님의 적극적인 후원과 배려, 학부모님들의 봉사와 나에 대한 믿음, 그리고 동학년 선생님들의 협조 또한 컸다.

"왜 다른 학교에서는 하지 않는 활동까지 해야 해요? 너무 번거롭고 힘들 것 같아요."

처음 접하는 선생님의 경우 가끔, 이런 불만스러운 애기를 하는 선생님도 있었다.

"선생님, 어렵지 않아요. 나한테 자료도 있고 경험이 있으니 서로 의논하며 같이 하면, 이래서 이런 활동을 하는 거구나 할 거예요."

가끔은 설득하면서……

그런 분이 더 적극적으로 동참해 주었다.

'교육과정 계획안'에 맞춰 '주간 학습 안내'라는 일주일 동안의 학습내용이 안내되는 유인물을 학부모들에게 보낸다.

학년 초, 학년 업무를 맡을 때 부장인 내가 '주간 학습 안내'를 맡아 작성한다. 거기에는 이유가 있다. 내가 계획한 교육과정이라 그 내용을 내가 제일 잘 안다. 그리고 교과마다 학습내용을 더 자세히 분석해서 아이들이 흥미 있는 시간이 몰리지 않도록 주간 계획을 세우기 위함이다.

매일 1시간이라도 즐겁게 공부할 수 있는 시간이 있어야 아이들은 학교생활을 즐거워한다. 학교생활이 즐거우면 인성은 말할 것도 없고 공부 또한 지겨워하지 않고 열심히 한다.

나는 우리 반의 교과 시간도 이런 점을 고려하여 매일매일 교과 시간을 바꾸어 정한다.

운동장에서 할 수 있는 시간은 주로 첫째 시간을 이용한다.

다른 반에서 잘 이용하지 않기 때문에 운동장이 우리 반 독점이다. 아이들에게 충분한 장소를 제공하고 체육 기구도 넉넉히 사용할 수 있다.

나의 경험으로는 운동장 활동을 아침에 하면 그날의 학습활동에 활력이 붙는다. 운동 효과인 것 같다.

설명을 듣고, 새로 배워야 하는 내용의 교과는 2교시나 3교시에 한다. 그 시간이 집중력이 가장 좋다.

마지막 시간은 음악 시간이나 국어 읽기 시간, 비교적 아이들 모두가 같이 끝낼 수 있는 시간으로 배정한다. 그래야 아이들 하교지도 하기가 쉽다.

수학이나 글쓰기 시간이 있어 일일이 검사가 필요할 때는 먼저 통과한 아이들은 밖으로 내보낸다. 일찍 마친 보상이기도 하지만 남아 있는 아이들을 집중적으로 지도하기 위해서다. 일찍 나가서 줄넘기를 하도록 하고 쉬는 시간 종이 울리면 그때부터는 자유행동이다.

"애들아, 두 번 종치면 들어와! 쉬는 시간 벨, 공부 시작하는 벨. 두 번."

우리 아이들이 행복해한다.

아이들은 노는 시간을 최대한 많이 주어야 한다. 이래서 우리 반은 노는 시간이 많은 것으로, 다른 반 아이들이 부러워한다.

나는 쉬는 시간까지 연장하여 아이들의 개별검사와 지도를 하지만 조금이라도 시간이 남으면 아이들과 함께 줄넘기하는 것도 봐주고 아이들이 하는 놀이도 함께한다. 담임이 함께할 때 아이들은 훨씬 재미있어 한다. 그리고 아이들의 인성, 친구관계, 특기까지도 자연스럽게 알 수 있다.

"애들아, 이제 공부 준비하는 종이다. 들어가자."

아이들은 재빨리 졸졸졸 따라 들어와서 다음 공부에 집중한다. 나가기 전에 다음 시간 준비를 책상 위에 해놓았기 때문에 바로 수업에 들어 갈 수 있다.

'손뼉 치기 농구'라는 우리 반 아이들만이, 쉬는 시간에 나와 함께 교실에서 하는 놀이가 있다.

나는 키가 큰 편이다. 그 큰 키를 이용해서 손을 얼굴 앞에 쫙 펴면 간이 농구 골대가 된다. 아이들이 한 명씩 도움닫기하여 내 손과 손뼉을 친다. 나는 아이 수준에 맞게 손을 올렸다 내렸다 해준다. 어느새 교실 둘레로 커다란 원이 되어 한 사람씩 차례로 뛰어온다. 내 손을 아주 힘차게 찰싹 때리면 "합격!" 그렇지 못하면 "불합격!" 자연스레 아이들과 스킨십도 하고, '합격'이라는 말을 듣기 위해 아이들은 더 노력한다.

아이들은 더 높이 뛰기를 원한다.

"선생님, 더 높이요. 더 높이요!"

높고 가장 힘차게 치는 아이에게 큰 소리로 칭찬을 해준다.

"야~ 세다. 오늘의 최강자."

"야~호!"

끝날 때까지 최강자는 여러 번 바뀐다.

아이들 키 크는 효과도 기대하며 나와 우리 아이들 모두가 즐기는 우리 반의 쉬는 시간에 하는 '손뼉 치기 농구' 놀이다.

아이들은 즐거워야 한다.

우리 아이들이 행복한 놀이시간 극대화!

우리 반의 즐거운 '손뼉 치기 농구' 놀이!

나는 이러한 별스럽지 않은 놀이도 교육과정의 한 일부라고 생각한다. 아이들은 놀게 해야 공부 시간에 집중도가 높아지고 공부를 잘할 수 있다. 그래야 아이들이 행복하다.

오랜 경험으로 알 수 있다.

아침에 하는 독서활동

나는 아이들보다 30분 일찍 학교에 온다. 아이들을 맞으러 일찍 오는 것이다. 화분에 물도 주고 교실 이곳저곳을 둘러본다.

그날도 엄마 아빠가 일찍 출근하는 민석이가 학교에 맨 먼저 왔다.

"선생님, 안녕하세요?"

"오늘도 민석이가 일등이네!"

아침 인사를 하고는 칠판에 붙여놓은 '오늘의 시간표'를 보고 맨 끝 시간부터 교과서와 공책을 책상 속 맨 밑에서부터 넣는다. 그리고 빈 가방을 책상에 걸고는 학급문고에서 동화책 몇 권을 골라 자리에 앉아 조용히 책을 읽고 있다. 그 뒤에 오는 친구들도 제일 먼저 온 민석이와 똑같이 하고 책을 읽는다. 조용히 앉아 책을 읽고 있는 아이들의 모습이 참으로 예쁘다.

등교 시간 10분 전 아이들이 함께 몰려온다. 갑자기 조용하던 교실 안이 왁자지껄 소란스럽다. 그러나 나무라지 않는다. 아침에 만나는 친구들끼리 이 얘기 저 얘기 얼마나 할 말이 많겠는가? 준비물이 많은 날은 더 많이 소란스럽다. 그러면서 아이들은 매우 즐거워한다.

잠시 뒤.

"얘들아, 이제 그만 조용히 하고 지금 온 친구들도 책 읽자!"

우리 아이들은 금세 조용해지며 책을 고르러 간다.

교사가 일찍 와서 아이들을 맞으면 차분한 학습 분위기가 자연스레 형성된다. 어쩌다 아이들보다 늦게 나타나도 아이들은 습관이 돼서 조용히 책에 빠져 있다. 그런 날은 미안함과 함께 아이들이 더 사랑스럽다.

'얘들아, 고마워. 잘하고 있구나.'

아침 시간을 이용하여 읽는 책의 양은 엄청나다. 보통 동화책 다섯 권 이상 읽는 아이들이 많다. 일 년 합하면 엄청난 것이다. 일학년이지만 긴 글의 책을 며칠 동안 나누어 읽는 아이도 있다.

우리 교실 학급문고에는 책이 아주 많다. 각자 집에서 두 권 정도 가지고 오라고 한다. 그러면 두 권이 아니라 집에 있는 책을 다 보낸 것같이 많이 보내기도 한다. 때로는 여러 가지 책을 사서 보내기도 한다.

그래서 읽을 책이 많다. 엄마들의 도움이 크다.

나는 첫 수업에 들어가기 전, 아이들에게 동화책을 읽어준다. 여러 번 읽었던 책이라도 교사가 동화구연하듯 책을 읽어 주면 집중해서 듣고 아주 좋아한다. 그냥 읽고 끝내기도 하지만 아이들의 생각이나 느낌도 들어본다. 자연스런 독후활동이자 발표력 신장이다.

아이들은 책을 즐거운 마음으로 읽어야 한다.

자기가 읽고 싶으면 같은 책을 여러 번 읽어도 되고 건성건성 뛰어 읽어도 된다. 읽다가 읽기 싫으면 다른 책을 읽어도 된다. 꼭 자기 자리에서 읽지 않아도 된다. 친구가 읽는 책이 궁금해서 살짝 보다가 같이 낄낄거리며 읽는 모습은 더 정겹다. 하지만 독후감 쓰기를 강요하고 책 내용을 잘 알고 있는지 확인하는 것은 피해야 한다.

아이들은 그냥 즐겁게 읽으면 된다. 그래야 책 읽는 아이가 된다.

엄마는 아이와 함께 책을 읽고 서로 이야기를 나눠주고, 책을 많이 읽는 아이라도 아이에게 책을 읽어 주면 금상첨화일게다.

독서의 중요성은 누구나 안다. 멀리 갈 공부 여정에 기초체력을 기르는데 독서만한 것이 또 있을까? 그래서 아이들한테 일찍 등교하기를 권한다.

아침 독서를 위하여!

자연스런 독서 습관을 위하여!

공부의 기초체력을 위하여!

독서와 관련하여 몇 편의 우리 아이들 글을 소개한다.

3학년을 지도할 때, 여름방학 구청에서 실시한 '여름독서 교실'에 참가했다 쓴 '추천 도서 내용'이 구청 신문에 실렸다. 그 내용을 본문 그대로 여기에 옮겨 본다.

우리 반 아이들이 대부분 책을 많이 읽게 되었지만 도경이의 수준은 대단하다.

학교에서 '어버이날 기념행사'로 효녀, 효자에게 표창하기 위해 부모의 추천서를 받았다. 독서에 관한 내용이 있어 도경 엄마의 추천서 일부를 소개한다. 또 한 편의 유진이의 글도 소개한다.

여름방학에 한학마을 여름 학기를 마치면서 쓴 글로, 한학마을 양당 선생님이 복사해서 담임에게 보낸 글이다.

"애들아, 이 책 한 번 읽어봐~"

삼국지(60권, 대현 출판사)

양도경(초등 3학년)

내가 지금까지 읽은 삼국지는 어린이 삼국지, 곱빼기 삼국지, 전략 삼국지 1~60(요코야마 미쓰테루), 삼국지 상, 하(나관중), 소설 삼국지(정비석) 등입니다.

삼국지는 유비, 관우, 장비, 여포, 제갈량, 조조, 조자룡 등이 나와 활약하는 긴 역사 소설입니다.

우리 고모가 삼국지 비디오를 갖다 주어서 보게 되었는데 비디오와 책은 어떻게 다를까, 중국의 삼국시대 때 우리나라는 어떤 시대였을까, 우리나라와는 어떤 관계가 있을까? 이런 궁금증이 생겼습니다.

그래서 나는 처음으로 곱빼기 삼국지를 읽으면서 우리나라의 삼국시대와 중국의 삼국시대가 같은 시기였고, 고구려 동천왕 때 위나라의 관구검이 침략했고, 중국의 지도와 우리나라의 지도가 어떻게 변화되었는지 알게 되었습니다.

그리고 그 당시의 아메리카, 유럽, 아프리카, 오세아니아 등 다른 나라에서는 어떤 일이 있었을까 궁금해져 세계 역사에도 관심을 가지게 되었습니다.

삼국지는 유비, 관우, 장비가 의형제를 맺어서 신의를 지키고, 기회를 잘 이용하고, 사마염이 천하를 통일하기까지 어렵고 힘든 과정을 생생하게 느낄 수 있게 합니다.

여러 삼국지 중에서 1, 2, 3학년 친구들에게 추천하고 싶은 삼국지는 '전략 1~60'이고 형, 누나들에게는 소설 삼국지(정비석)를 추천하고 싶습니다.

— 전략 —

우리 도경이가 할머께 이토록 잘하는 것은 책을 많이 읽은 원인도 있다고 생각합니다.

그중에서 공자, 맹자, 명심보감, 사서삼경, 한자 숙어, 속담 등

효와 관련 깊은 책들을 많이 읽었기 때문인가 봅니다.

책을 읽고 책 속에서 좋은 것을 배우며 실천하려는 도경이의 마음이 예쁘지 않습니까?

— 후략 —

— **양도경 엄마**

여름방학 한학마을에서

아~ 사랑하는 가족과 헤어져 가슴이 푹 패인 것 같다.

아주 귀하디귀한 보석을 잃어버린 것 같은, 애석한 표정을 지으며 나를 홀로 놓고 가셨다. 그런 부모님을 떠올리면 지금도 눈시울이 촉촉해진다. 하지만 이곳에 와서 나는 부모님께 한 잘못을 뉘우쳤다. 그리고 훈장님 말씀으로 내 마음에 빗질을 하였다. 이 허물을 벗겨주신 여기 계신 모든 분께 감사하다.

낳아주시고 길러주신 부모님께 무모하게 대든 적도 있다. 너무나 창피해서 여기에 밝힐 수 없다. 그 생각을 하면 나는 쥐구멍이라도 있으면 들어가고 싶을 정도로 창피하다.

그때 마침 주룩주룩 비가 내려 내 마음을 달래주는 자장가를 부르고는, 내 근심 걱정을 싹 쓸어갔다.

'젊어서 고생은 사서도 한다'는 말이 맞는가 보다.

난 한학마을 서당에 와서 많은 고생을 하며 내 자신의 잘못을 조금 닦은 것 같아, 한학마을 서당에 겨울방학 때 또 오고 싶다. 친구들에게도 한 번 권해주고 싶다.

재미있는 판소리와 기억 생생한 서예 공부, 야생 꽃과 대나무들 그리고 물고기들이 춤추며 헤엄쳐 다니는 다리와 연꽃이 있는 한학마을.

　이 한학마을 서당에 보내주신 우리 부모님은 사자 같다는 생각이 든다. 사자는 자기 자식을 벼랑에 떨어뜨리고 살아남은 자식만 키운다고 하니까.

　나를 멀리 떨어뜨리고 나 혼자 스스로 해결하는 힘을 키우라고 한 것이니 잘해야겠다.

　난 이 체험을 잊지 못할 것이다.

　나에게 잘해준 언니, 친구들 그리고 친어머니같이 친절한 양당 선생님도……

　― 초등학교 3학년 이유진

　※평 : 초등학교 3학년생이라고는 정말 믿기지 않는 표현력을 가지고 있군요. 시적인 감각이 탁월합니다.

우리 아이들의 자신감

언제부터일까?

우리 아이들을 지도하며 교사로서 아이들을 향한, 아이들을 위한 교육관이 확실하여졌다.

'우리 아이들 모두를 사랑하자. 우리 아이들 개개인이 가지고 있는 개성과 특성을 살리자. 그래서 우리 아이들 모두가 자신감을 갖고 모두가 일등인 행복한 학교생활을 하도록 하자.'

그렇다면 우리 아이들의 자신감을 어떻게 하면 키울 수 있을까?

나는 언제부터 무슨 일로 자신감을 갖게 되었을까? 곰곰이 생각해 보았다.

내가 초등학교 4학년 무렵으로 기억된다.

선생님의 질문에, 내 스스로 손을 들고 처음으로 발표를 하고 나서의 떨림과 희열을 지금도 잊지 못한다. 선생님의 칭찬을 듣고는 얼마나 기뻤던지……

그 후로 발표를 하고 싶어 안 하던 예습까지 하게 되었고 자신감이 생겼던 초등학교 시절이 생각났다.

'그래, 우리 아이들 발표력을 키워보자.'

첫 단계로 목소리 키우기

책을 큰 소리로 읽게 하여 목소리를 키우는 일이다. 그래야 친구들이 잘 들을 수 있는 목소리가 된다.

나는 아이들 숙제를 거의 내지 않지만 매일 1~2분간 엄마랑 동화책 큰 소리로 읽기를 권장한다. 혼자보다는 엄마랑 한 문장씩 누가 더 잘 읽나 시합이라도 하듯 읽으면 더 효과가 크다. 목소리를 크게 내야 한다. 그래야 넓은 공간인 교실에서의 목소리로 적당하다.

학교에서 독서 시간이나 읽기 시간에 읽혀 보면 집에서 읽는지 안 읽는지를 바로 알 수 있다. 잘 읽지 못하는 아이에게는 개인지도를 해주고 집에서도 엄마와 1분 동화책 소리 내어 읽기를 권한다.

두 번째 단계로 자기 이름 말하기

일어나서 자기 이름을 말하게 한다.

교사가 먼저하고 따라 하게 한다.

"저는 김용숙입니다."

"저는 1학년 3반 김용숙입니다."

"저는 ○○○아파트에 사는 김용숙입니다."

처음에는 이름만, 그리고 학년 반, 사는 아파트를 넣어서 말하게 한다.

아이들은 정말 신나서 자기 이름을 말한다. 즐거운 표정이다. 똑같이 하는 거라서 어렵지 않게 누구나 할 수 있다.

세 번째 단계로 "제가 발표하겠습니다" 하기

"제가 발표하겠습니다."

"저도 발표하겠습니다."

"제 생각을 말해보겠습니다."

"제 생각은 이렇습니다."

"제 생각은 다릅니다."

"제가 보충하겠습니다."

"제가 ○○의 생각에 보충하겠습니다."

이렇게 발표자가 먼저 자기가 발표하겠다는 말을 하도록 한다. 나머지 아이들은 발표자를 바라보도록 한다.

아이들이 발표자를 바라보고 집중하여 듣기 때문에 발표자도 우물쭈물 들릴까 말까 하게 발표하지 않고, 아이들을 향해 자신 있는 발표를 하게 된다.

발표자는 아이들이 모두 바라볼 때까지 기다렸다 발표한다. 그렇게 함으로써 누가 무슨 의견을 내었는지 알게 되어 발표에 적극적으로 참여한다.

이 단계도 교사와 아이들이 함께 연습한다.

훈련이다.

네 번째 단계 수화 약속하기

발표하려고 손을 들 때 수화를 약속한다.

예를 들면

손을 쫙 펴면 발표하겠다는 의사 🖐

주먹을 쥐면 앞사람과 다른 의견 ✊

검지로 들면 앞사람 의견에 보충 ☝

검지와 장지로 ✌ 들면 같은 생각으로 동의한다는 표시이다.

이와 같이 네 단계가 잘 이루어져야 아이들의 왕성한 발표력이 향상된다.

"발표하니까 기분이 어땠니?"

나는 우리 아이들에게 종종 물어 본다.

"하늘을 날아가는 거 같았어요."

"가슴이 콩콩콩 뛰었어요. 기뻐서요."

"빨리 집에 가서 엄마한테 자랑하고 싶었어요."

모든 아이들이 발표를 잘하게 되면 수업 시간을 즐거워한다.

학부모 공개수업이 있었다. '수업에 들어가며'라는 수업 안내 글을 보냈다. (공개수업에 들어가기 전 부모님께 보낸 안내장은 뒤에 붙인다.)

많은 학부모들이 수업을 참관하고 아이들과 함께 기쁨을 나누었다. 아이들의 발표력이 향상되면 아이들은 자신감을 얻게 되고 학교생활이 즐거워진다.

교사는 이런 아이들을 바탕으로 질 높은 수업을 할 수 있다. 그러므로 의지를 갖고 아이들의 발표력을 키워야 한다.

어느 해 '유·초 연계수업' 시범수업을 할 기회가 있었다. 지역 내 유치원 원장과 유치원 교사 그리고 초등 1학년 교사들이 참관하는 수업이다.

수업을 마치고 수업자와 참관자가 모여 협의회를 갖는다.

그 자리에서 어느 유치원 원장이 이렇게 극찬의 말을 해줬다.

"이 교실에서 수업하는 모습을 보고 깜짝 놀랐습니다. 우리 유치원 원아들도 몇 명 보였습니다. 몇 달 안됐는데 저렇게 변할 수가 있는지요? 선생님의 수업 속에 빠져들어 가는 모습이며, 자기의 생각을 발표하는 모습 등을 보며 '서울 강남의 유명한 사립학교 학생들인가?'라고 의심할 정도였어요. 일학년 아이들의 자기 생각을 말하는 발표력 정말 대단합니다."

그동안 발표력을 기르기 위해 목소리 키우기와 단계별 훈련을 하였다. 자기 생각을 친구들과 서로 이야기 하고 나눌 수 있는 바탕, 그 생각의 기본은 우리 아이들이 많은 책을 읽었기 때문이다.

퇴임 1년 남겨놓은 2010년 6월 '교원평가수업'을 마친 직후 허재영 교감 선생님께서 보내주신 메시지다.(현 송일초등학교 교장)

'대선배님! 유아기 막 지난 1학년 학동들을 논리정연하게 자기 생각을 전원 발표할 수 있도록 이끄심에 감탄하였습니다. 너무 수고 많으셨습니다. 당신은 영원한 프로이십니다.'

교감 선생님이 보낸 이 메시지는 내 초등학교 시절 처음으로 발표를 하고 나서의 떨림과 희열을 다시 맛보게 하였다.

우리 아이들도 이런 수업들을 통해 나 어렸을 적 떨림과 희열을 맛보고, 나와 똑같은 기쁨을 느꼈겠지.

수업에 들어가며

우리 아이들이 입학한 지 4개월째입니다.

기본학습 훈련 중에서 가장 중요한 것은 발표력을 키우는 일이라 생각합니다.

발표력을 키우는 일은 결코 쉬운 일은 아닙니다.

그러나 교사가 의지를 가지고 꾸준히 지도하면 모든 아이들이 자연스레 발표를 잘할 수 있다고 생각합니다.

우리 아이들도 발표력을 신장시키기 위해 단계적인 훈련과 지도를 하고 있습니다. 자신감 있는 목소리를 내기 위하여 매일 1분간 큰 소리로 동화책을 읽고 있습니다. 발표하기를 꺼려하는 친구는 격려하며 기다려 주기도 하고 잘하는 친구는 많이 칭찬하여 의욕을 북돋아 주고 있습니다. 발표를 꺼려하던 아이도 차츰 발표에 참여하면서 그 기쁨을 맛보고 좋아하고 있습니다.

그동안 학년 특색 사업인 아침 활동 시간에 읽은 책이 많이 읽은 아이는 500권이 넘습니다. 그 읽은 책 중에서 주인공을 골라, 학년 특색인 독서지도와 관련하여 '생각이 잘 드러나게 말하고, 책 속의 주인공에게 상장을 만들어 주자'의 주제를 가지고 심화학습을 계획하였습니다.

우리 아이들이 그동안 열심히 읽은 책읽기의 보람과 발표력 향상으로 자신감 있게 발표하기를 기대하며 이 수업에 들어갑니다.

— 담임 김용숙

열린교육평가 대표수업에 또 도전

어느 날 교감이 교무실로 조용히 나를 불렀다.

"김 부장이 대표수업을 해야겠어요. 김 부장한테 시 교육청에서 부탁이 왔어요."

"무슨 수업을 또 해요?"

"네, 시 교육청 평가가 있는데 그중에서 열린교육평가는 일선 현장에서 평가를 한다는군요. 수업을 직접보고 평가를 한답니다. 힘드시겠지만 부장님 이름으로 정해져 나왔으니 거절하지 마시고 해주세요."

난감했다. 나한테 걸려 있는 인천시 열린교육의 잣대가 무거웠다. 그러나 어찌 안 할 수 있겠는가 해야지. 이미 정해져 나온 건데.

"네, 해보겠습니다. 우리 반 아이들 잘 키웠으니까 주제를 잘잡아서 열심히 해보겠습니다."

막중한 임무를 띈 의무감도 컸지만 내 마음대로 또 우리 아이들을 성장시키기 위한 수업에 도전해보기로 마음먹었다.

이 생각 저 생각 끝에 주제를 여러 사람이 모이는 '공공장소에서 질서를 지켜보고 발표하기'로 정했다.

김경희 장학사님도 주제에 대해 대찬성이었다.

지도안도 형식에 매이지 말고 낙서하듯 그림으로도 표현하고 마인드맵으로도 표현하고 내 맘껏 해보는 자유로운 지도안을 원하셨다.

사실 참으로 모험 같은 수업이다.

공공장소로는 공원, 박물관, 극장, 전시회장, 공연장으로 정하고 그곳에서 질서를 지킨 내용이나 느낌을 여러 형식으로 발표하는 것이다.

발표 형식으로는 노래, 연극, 시, 무용으로 표현하기와 사진을 찍어 보고서 형식으로도 표현하기로 했다.

우리 반은 2학년이다. 2학년인 우리 아이들을 잘 키웠다고는 하지만 과연 해낼 수 있을까? 걱정도 많이 되었다. 그러나 해보고 싶었다.

"얘들아, 우리 반이 인천에서 제일 수업을 잘한다고 이번에 인천시 대표수업을 하래. 우리 해볼까? 할 수 있을까?"

"네, 할 수 있어요. 해요."

오히려 우리 아이들은 무슨 수업인지도 모르고 들떠서 하자고 야단이다.

"그래? 그럼 한번 해보자. 그런데 이 수업은 우리 반이 수업

한 것을 보고 인천시 점수를 매기는 거야. 말하자면 시험보는 거란다."

우리 아이들은 조용히 내 애기를 귀담아 듣고 있었다.

"우리 반 친구들, 고맙다. 이제 어떤 수업인지를 들어봐. '공공장소에서 질서를 지켜보고 발표하기'인데, 학습계획을 세우고 실지로 체험을 해보고, 여러 가지 방법으로 발표하는 학습이야. 그런데 모둠별로 다녀와야 되기 때문에 위험이 따르거든. 그게 제일 걱정이야."

"와~ 재미있겠다. 우리끼리 가서 하고 올 수 있어요. 선생님 할 수 있어요."

우리 아이들은 자기들끼리 다녀온다는 말에 더 좋아한다. 구속에서 벗어나는 느낌일까?

"모둠별로 의논해서 공공장소를 정하는데 다른 모둠과 같으면 양보하던지 가위 바위 보를 해서라도 정해."

자기들끼리 의논하여 결정하고 다른 모둠 장소를 확인하고, 드디어 다 정했단다.

그런데 문제가 또 있다. 발표하는 방법을 놓고 의논하고 다른 모둠과 겹치지 않도록 해야 하는데 모둠 장들의 역할로 결정이 빨리 됐다. 다행이다.

발표 형식으로는 노래로 표현하기, 연극으로 표현하기, 시를 써서 표현하기, 무용으로 표현하기와 사진을 찍어 보고서 형식으로 표현하기로 했다.

이제 모둠별로 자기들끼리만 체험을 하고 와서 모둠별로 정한 발표 형식으로 발표를 하는 것이다. 안전이 제일 염려됐다. 걸어서 갈 수 있는 장소 외에 전철도 타야 하고 버스도 타야 한다.

전화로 연락하고 정해진 시간에 돌아와야 한다. 우리 2학년 어린 아가들이.

체험을 마치고 무사히 돌아올 때까지 안절부절 서성이며 많은 후회도 했다. 무모한 도전은 아닌지.

신통하게 사고 없이 배운 대로 잘하고 왔다. 정말 기특했다. 수업은 뒷전이었다. 그때의 기분은……

드디어 수업 날이었다. 우리 아이들은 2시간 동안 수업을 하였다.

계획 이상으로 잘했다. 노래, 연극, 시, 보고서 등 맡은 대로 최상의 열린학습이 이루어졌다.

어려운 주제, 위험이 따르는 수업, 모둠별 협동 그리고 다양한 발표, 어느 한 가지 녹녹한 게 없었는데 우리 아이들은 훌륭히 해냈다. 해낼 수 있었던 것은 우리 아이들의 능력을 키워준 결과라고 생각한다. 우리 아이들 한 명 한 명 꼭 껴안아 주었다. 마음속으로.

"얘들아~! 지금도 고마워, 많이 보고 싶다."

벌 나비가 날아오고

조용히 학습에 열중하던 아이들이 소리를 지른다.

"야~ 참새다, 참새야."

교실 창 밖에서 참새 한 마리가 우리 교실 안으로 날아들어 온 것이다.

아이들은 야단법석이다. 재빨리 물걸레 밀대를 들고 참새를 쫓아다니는 아이, 책을 들고 책상 위로 뛰어 다니는 아이.

"저기 있다, 빨리 빨리."

"얘들아, 못나가게 창문 닫아."

교실 안은 참새 잡기에 아수라장이다.

그러나 집을 잘못 찾아온 참새지만 아이들에게 잡힐 리 없다. 이리 날고 저리 날다 창문 밖으로 용케 달아난다.

"잡을 수 있었는데……"

아이들은 금방 잡힐 것 같았는지 몹시 아쉬워한다.

우리 교실에는 참새가 들어오는 것은 흔치 않지만 벌과 나비는 자주 들락거린다. 그것은 화분이 많기 때문이다.

창가는 물론이고 교실 한 모퉁이를 화원 저리가라 할 정도로 꽃을 많이 키운다. 특히 지금 내가 근무하고 있는 이 학교에서 꽃과 식물을 더 많이 길렀다.

국제도시에 위치한 건물이라 특이하게 배 형상을 연상하는 건물구조의 학교다. 네모반듯한 교실이 아니고 부채꼴 잘라 놓은 것처럼 휘어져 있다. 아이들도 나도 안정된 편안한 느낌을 주지 않고 불안정한 느낌이 드는 구조다. 그것을 보안하려고 화분을 길렀고, 새 건물에서 배출되는 독소도 없애기 위하여 화분을 대, 중, 소 100여 화분이나 기르게 되었다.

1인 1화분 가꾸기를 권장하여 작은 화분을 가져오게 하지만 내가 집에서 기르던 것이나 가끔 화원을 들러 계절에 볼 수 있는 화분도 많이 구해왔다.

해피트리, 폴리셔스, 벤쟈민, 여러 종류의 철쭉, 긴기아나, 덴드롱, 수선화, 사랑초 등 종류도 많다. 엄마들께서도 관심 갖고 협조해 주셨다.

가끔 이런 질문을 받는다.

"나무와 꽃이 많으니 교실이 참 아름다워요. 잘 꾸며 놓아서 화원보다 더 예뻐요. 공기도 다른 교실보다 상쾌하고 맑은 것 같아요. 그런데 관리하기 힘들고 아이들이 화분 깰까 염려되지 않으세요?"

"네, 관리하기가 쉽지는 않지요. 물 관리도 잘해야 하고 화분의 배치도 자주 바꾸려면 힘에 부치고 귀찮을 때도 있어요. 그러나 제가 워낙 꽃을 좋아해서 기쁜 마음으로 하고 있어요. 그리고 아이들이 화분 깨고 다치지는 않을까 걱정했는데 정서적으로 안정이 되는지 한 번도 깬 적이 없는 거 같네요."

정말 아이들이 차분하다. 공기도 좋고 아름다워서 저절로 그렇게 되는 것 같다. 그리고 우리 아이들은 잘 안다. 내가 왜 꽃을 많이 기르는지……

"얘들아, 우리 교실에 꽃 많이 키워서 좋지?"

"네~"

"무엇이 좋은데요?"

아이들은 다투어 얘기한다.

"우리 교실이 아름다워요."

"공기가 상쾌해요."

"또 있어요. 벌이랑 나비 참새도 들어와서 우리를 즐겁게 해요."

아이들과 또 이야기 한다.

"우리 반 친구들. 선생님은 꽃을 가장 좋아할까요? 아님 너희들을 더 좋아할까요? 누구지요? 누구라고 했지요?"

"네, 선생님. 우리들요."

나는 아이들에게 다시 확인받는다.

식물을 많이 키우면서 때때로 이야기해 줬다.

새로 지은 교실이라 공기가 나쁜 점, 교실 구조에 대해, 그래서 식물을 많이 키우는 이유를.

"나무가 많은 산에 가면 공기가 좋잖아. 그래서 녹색을 가진 식물과 꽃을 키우고 있지. 너희들 어렵지만 조용히 들어봐. 이 건 4학년 과학에서 배우지만 너희들이 미리 공부한다 생각하고 잘 들으면 알 수 있어."

우리 아이들은 조용히 듣는다.

"이 잎을 봐. 녹색이지? 이 녹색 잎이 햇빛을 받고, 우리들이 숨 쉬면 나오는 나쁜 공기를 이산화탄소라고 하는데 이렇게 셋이 모이면 이 식물이 먹고 사는 영양분을 얻을 수 있단다. 그런데 너무나 고마운 것은 나쁜 공기 이산화탄소를 가져갔다고 대신 우리들한테 꼭 필요한 좋은 공기 산소를 선물로 내주는 거야. 좀 어렵지?"

천천히 자세하게 해주는 내 설명에 아이들은 좋은 공기를 내주는 것은 아는 것 같다.

"아무튼 이 식물들은 우리에게 나쁜 공기를 가져가고 좋은 공기 산소를 주는 아주 귀한 것이지."

몇 차례 설명해줘서 이제는 제법 잘 안다.

이런 작용이 '탄소동화작용, 또는 광합성'이라는 것도 어렵지만 알려준다.

우리 아이들을 위해 식물을 기른다. 우리 아이들이 아름다움을 느끼고 좋은 공기를 마시며 생활하기를 바란다.

그리고 우리 아이들을 식물보다 더 좋아하기 때문에 우리 반에 식물을 많이 키운다는 것도 말해 줬다. 그래서 우리 아이들은 잘 안다.

다른 반 선생님들도 꽃을 많이 기르고 있다. 아이들을 보낸 후 동학년 선생님들과 각 반에 다니며 꽃구경도 같이 하며 정담을 나눌 수 있는 것도 참 좋다.

교실 환경 구성에 빼놓을 수 없는 것이 우리 아이들의 작품이다.

나는 아이들 작품을 그 시간에, 먼저 완성한 아이부터 차례로 칠판에 전시한다. 잘못한 것 같은 작품과 끝마치지 못한 작품까지 전원 모두 전시한다. 이렇게 하면 아이들 모두가 열심히 해서 점차 개성 있는 작품으로 변한다. 그래서 나는 우리 아이들 모두의 작품을 존중한다.

그리고 글쓰기 작품같이 아이들이 읽어봐야 할 것은 칠판 밑에나 창틀 아래로 전시한다. 다른 친구들 글을 읽어보기 쉽게 하기 위해서다. 작품은 매일 바뀌기도 한다.

아이들은 다른 친구들의 작품을 통해서 많이 느끼고 배우고 성장한다.

나비와 벌이 날아 들어오는 식물 많은 교실에, 매일매일 우리 아이들이 성장하는 작품으로 꽉 찬 교실을, 나는 우리 아이들만큼이나 좋아한다.

바로 우리 아이들의 바른 인성과 자신감이 성장하는 행복한 교실이다.

환상(41×27㎝) 유화 캔버스 2019

제3부

모든 아이에게
사랑을

송효규, 우린 너 때문에 복 받았어

입학식을 끝내고 교실에 들어와 앉기도 전에 학부모 한 분이 찾아오셨다.

"선생님, 저는 송효규 엄마입니다. 선생님께 말씀드릴 게 있어 이렇게 찾아뵈었습니다. 상담드릴 수 있을까요?"

"아! 예, 여기 앉으시지요."

막 입학식을 마친 터라 누가 누구인지 잘 모르지만 효규는 생각이 났다. 훤칠한 키에 눈이 큼지막한 잘생긴 사내아이였다. 그러나 입학식 내내 불안해하고 가만히 서 있지를 못하는지 엄마가 손을 꼭 잡고 있어서 눈에 띄었다.

"선생님, 우리 효규는 다른 아이들과 조금 다릅니다. 그래서 병원 여러 곳을 다녔는데 심한 자폐증은 아니라고 합니다. 지금도 특수 치료를 받는 중입니다."

차분히 그리고 담담하게 아들 효규에 대해서 자세히 얘기했다.

나는 조용히 듣고 있었다.

"선생님, 우리 효규를 이해하고 사랑으로 이끌어주실 분을 담임 되게 해달라고 매일 새벽기도를 했습니다. 그런데 선생님이 우리 효규 선생님이 되셨네요. 선생님, 힘드시겠지만 우리 효규 잘 부탁드릴게요."

효규 엄마는 내 손을 잡고 울먹이면서 부탁을 했다.

"네~ 효규 엄마, 능력은 없지만 잘 보살필게요. 노력하겠습니다."

그 시절 우리 학교에는 특수반이 없던 시절이었다.

'특수교육 과정도 이수받지 못한 내가 과연 효규를 잘 이끌 수 있을까?' 걱정이 앞섰다. 그러나 주사위는 던져졌고 최선을 다해보는 수밖에는……

효규와의 전쟁 아닌 전쟁이 시작되었다. 효규는 의자에 앉는 것부터 거부하고 서 있다. 의자에 앉으면 갇혀 있다는 생각에서인지 앉질 않는다. 또 갑자기 큰 소리를 지르고 교실 안을 뛰어 다니거나 복도로 뛰쳐나간다. 아이들 학용품을 마음대로 가져가고 망가뜨리기도 비일비재했다. 더군다나 애써 만들고 있는 친구들의 작품을 갑자기 뺏어 망가뜨리는 일도 많았다.

효규 아닌 다른 아이들도 갓 입학한 일학년 애기들인지라 참으로 난감했다. 무조건 효규 편만 들 수도 없고 또 효규를 야단칠 수만도 없었다. 그래서 나는 우리 아이들에게 효규에 대해 자세히 말해주기로 했다.

"얘들아, 선생님 이야기 잘 들어봐."

아이들은 무슨 재미있는 이야기를 해주나보다 하고 귀를 쫑긋 세운다.

"효규 때문에 너희들이 귀찮고 속상할 때가 많잖아. 효규가 왜 그런 행동을 하냐면 효규는 병을 앓고 있단다. 효규는 태어날 때부터 병에 걸려서 지금도 의사 선생님이 병을 고치고 있는 중이래."

나의 말에 고맙게도 우리 아이들은 잘 듣고 있었다.

"의사 선생님이 약도 주시고 주사도 맞혀주셔서 지금은 학교도 다닐 수는 있지만 더 고쳐져야 하잖아? 그런데 의사 선생님이 제일 잘 낫게 하는 방법이 따로 있다는구나. 그 방법이 무얼까? 혹시 아는 사람 있니?"

아이들은 서로 쳐다보며 궁금해 하는 눈치였다.

"너희들이 효규의 병을 고칠 수 있다고 의사 선생님이 말씀하셨어."

"우리가 고칠 수 있어요?"

"그렇다는구나. 의사 선생님이 그렇게 말씀해 주셨어."

"너희들 효규 때문에 속상하더라도 이해해 주고 효규랑 친구가 되주면 의사 선생님도 잘못 고치는 병을 친구들이 고칠 수 있다는 거야. 우리 반 친구들, 다 같이 효규의 병을 고쳐 볼까, 응? 고쳐볼 수 있지?"

"네!"

고맙게도 우리 아이들의 반응이 너무나 좋았다. 효규로 인해 속상해 있던 엄마들도 아이들도 다 같이 협조해 주었다. 우리는 다 같이 함께 살아야 하는 세상이니까.

노래 부르기를 좋아하는 효규를 때때로 앞에 내세워 노래 부르게 해주었다. 음정 박자 조금씩 틀리면 어떠랴! 친구들의 환호에 효규는 무척 좋아했다. 그러면서 효규는 조금씩 조금씩 학교생활에 적응을 할 수 있었다. 우리 반 아이들이 효규에게 많은 도움이 되어 고마웠다.

일 년을 마치고 이 학년을 맡게 되었다. 학년 배정은 학교에서 인사규칙에 의해 결정되지만, 담임반은 동학년이 모여서 제비 뽑는 게 관례다. 그런데 효규가 들어있는 반을 먼저 맡으면 어떻겠냐고 부탁을 해왔다. 그래서 다시 맡게 되고, 또 삼 학년에서도 맡게 되어 삼 년을 계속 담임을 했다. 잘한 일인지는 아직도 잘 모른다.

일 학년 때 맡았던 최유리가 삼 학년에 다시 우리 반이 되었다. 첫날 유리가 일어서서 아이들을 향해 큰 소리로 말한다.

"애들아, 너희들 복 받았어. 김용숙 선생님 얼마나 좋은데."

이 말에도 기분이 엄청 좋았는데 다음날 유리가 쓴 일기에 이런 글이 씌어 있었다.

복 받은 우리 반

복 받았네 복 받았네
얼씨구나 복 받았네

김용숙 선생님이
우리 4반 담임이시라네

우리 3학년 4반 친구들
모두가 복 받았네

복 받았네 복 받았네
얼씨구나 복 받았네

너무 좋아 너무 좋아
덩실덩실 춤이라도 추고 싶네

유리가 시로 표현한 이 일기를 읽으면서 황홀했던 감정은 잠시 넋을 잃을 정도였다.
'아니, 이럴 수가. 내가 맡은 우리 아이 모두를 복 받은 아이들로 키워야겠구나.'
나는 또 한 번 교사인 나를 되돌아보게 되었다.

'좋은 교사가 되자. 아이들 모두를 사랑하는 교사가 되자. 우리 아이들이 가지고 있는 개성과 잠재되어 있는 무한한 특성을 살려주자. 그래서 우리 아이들 모두가 자신감을 가지고 신나고 즐겁게 행복한 학교생활을 하도록 하자.' 내 교육관이 더욱 확실하게 되었다.

내가 담임이 되었다고 좋아하는 우리 반 아이들에게 한마디 해주었다.

"선생님이 효규를 뽑았더니 너희들 모두가 주렁주렁 한 덩굴로 붙어 있더라. 그래서 우리 4반은 효규반이란다. 효규반이니까 효규에게 잘해야 한다."

그리고 효규에 대해 다시, 효규가 아픈 이야기와 치료받고 있는 중이라는 것도 말해주고 이해시켰다.

효규는 반 친구들의 적극적인 보호와 지지를 받아서인지 많이 좋아졌다. 효규를 먼저 배려하고 같이 놀아주는 우리 아이들이 참으로 고마웠다.

효규에 붙어 있기만 하면 우리 반이 된다는 말이 퍼졌는지 다른 반 아이들을 복도에서 만나면 가끔 한마디씩 한다.

"선생님, 4학년에는 저도 효규반 될래요. 그러면 4학년에서 선생님 반 되는 거죠?"

"그러자, 그러면 선생님도 좋~지."

나는 기분 좋게 뛰어가는 그 친구들을 바라보면서 입가에 미소를 지을 수 있었다.

둥그런 원 하나

사람은 누구나 일등을 원한다. 특히 학교 현장에서는 더더욱 공부 일등하기를 바란다. 올림픽 경기에서도 일등 금메달에만 환호하고 박수를 보낸다. 오직 일등이어야 한다. 이등 은메달은 아쉬워한다.

그런데 잘 생각해보자. 혼자가 아니라 둘이라도 아니, 둘은 너무 적은 숫자라 치고 셋에서도 일등은 힘들다. 이등, 삼등이 있게 마련이다. 그걸 모르는 사람도 없을 것이다. 그러나 너나 할 것 없이 모두 일등을 원한다.

나는 일등이라는 걸 해본 적이 없다. 공부는 말할 것도 없고 달리기는 앞사람과 아주 멀리 떨어진 꼴찌였다. 노래, 무용, 뭐 하나 잘하는 게 없는 나였다. 게다가 마르고 키가 커서 그런지 매일 넘어져서 무릎이 성할 날이 없었다. 정말 별 볼 일 없는 나였다.

그런 내가 교사를 하고 있다. 내가 담임으로 맡고 있는 아이들이 지금은 3~40명 정도 된다.

시험 봐서 성적으로 나오는 일등이야 그렇다 치고, 내 별 볼일 없는 잣대로 재어서, 너는 말 잘 듣는 아이, 넌 말썽쟁이, 너는 공부 못하는 아이, 넌……

언제였을까? 이런 생각을 하게 된 게.

'아~ 내가 교사를 하면서 아이들에게 많이도 죄를 짓고 있구나. 정말 별 볼 일 없던 내가 교사가 되어 고작 내 틀에 맞춰서 이 보석 같은 아이들을 야단치고, 꾸중하고, 미워하고, 서열을 만들고……'

내가 잘못하고 있음을 알게 되었다. 어떻게 하면 우리 아이들 모두를 당당한 일등으로 만들까?

깊이 생각하게 되었다. 정말 많이 생각했다. 그래서 생각해 낸 것이 있다.

'우리 아이들의 잘하는 것을 생각해 보자. 잘하는 것 말고도 특징적인 것까지. 그러면 누구나 일등이 될 수 있고 일등의 개념이 바뀌겠구나!'

"애들아, 오늘은 특별한 공부를 해 볼까?"

"선생님, 무슨 공부인데요?"

아이들은 특별한 공부라니까 꽤 궁금한지 재촉했다.

"너희들 모두 일등하고 싶지?"

"네~!"

일등이라는 말에 아이들은 신나한다.

"선생님이 너희들 모두가 일등이 되는 것을 가르쳐 줄게. 이건 너희들하고 선생님이 같이 생각해 봐야 해. 일등찾기 놀이지."

"무슨 그런 놀이가 있어요?"

처음에는 신나하더니 시큰둥해한다.

"지금부터 다른 친구들보다 내가 제일 잘하는 것을 찾으면 선생님이 일등상을 주는 거야."

다시 아이들이 관심을 갖는다.

"공부를 잘하면 공부 일등이지? 공부도 여러 가지가 있잖아. 큰 소리로 바르게 책을 제일 잘 읽는 친구, 덧셈 뺄셈을 빨리 하는 친구, 독서를 제일 많이 한 친구, 그림을 제일 잘 그리는 친구 그리고 줄넘기를 제일 많이 할 수 있는 친구 또 키가 제일 큰 친구, 달리기를 제일 빠르게 달리는 친구, 친구가 제일 많은 친구, 내가 제일 착하다고 생각하는 친구 등 너희들이 생각해서 말해봐. 내가 제일이라고 생각하는 것."

우리 아이들은 신나서 이것저것 많이도 얘기했다.

우리 아이들 각자가 제일이라는 대로 줄을 세웠다. 그랬더니 일등 줄이 우리 반 아이들 수만큼 둥그런 원이 되었다.

원 하나, 둥그런 원 하나.

'바로 이거였구나.'

정말 모두가 일등인 원 하나, 바로 우리 아이들이다.

선생님 손은 100살도 더 먹었어

맨 마지막 시간에는 아이들이 똑같이 끝낼 수 있는 교과로 시간표를 정한다. 그래야 하교지도하기가 수월하다.

"얘들아, 오늘 공부 잘했어요. 칭찬합니다. 오늘 일일 반장 인사해요."

"차렷! 선생님께 인사. 선생님, 감사합니다. 친구들 잘 가."

"오늘은 3분단 뒤에서부터 나가요. 다음은 1분단 앞에서부터……"

아이들은 제일 먼저 나가기를 원한다. 그래서 그날그날 다르게 내보낸다. 그리고는 분단별로 교실 뒷문 앞으로 나가 줄 서 있도록 한다.

그리고 나는 한 줄로 서 있는 아이들 앞으로 가서 다정하게 말한다.

"오늘도 선생님께 감사하고 사랑하는 만큼 선생님 꼭 껴안아 주기. 누가 선생님을 가장 많이 사랑할까?"

아이들과 차례대로 포옹한다. 아이들은 내 가슴팍에 얼굴을 묻고 두 팔로 힘을 주어 허리를 감싸안는다.

"아구구! 선생님 많이 사랑하네. 오늘 친구들과 잘 지내서 예뻐. 책 많이 읽었지? 내일은 두 권 더 읽자."

그날의 칭찬과 격려도 살짝살짝 말해 주면서 아이들 하나하나 꼬옥 껴안고 내보낸다.

밖에는 먼저 나간 아이들이 차례대로 줄 서 있는다. 아이들 마중 나온 엄마들이 기다리고 있다가 나에게 목례를 한다.

"엄마 오신 친구는 엄마한테 가요. 찻길 안 건너는 친구들 먼저 가고."

엄마가 마중 나오지 않은, 남아있는 아이들은 내가 찻길을 건네주러 간다. 양손에 아이 손을 잡고 천천히 걸으면 몇 명은 내 뒤를 졸졸 따라 온다. 그런데 갑자기 유선이가 뒤에서 소리친다.

"야, 너 오늘 선생님 손잡는 날 아니잖아? 오늘은 화요일이야."

재빨리 유선이가 아랑이를 뿌리치고 내 손을 잡는다.

"이게 무슨 소리니? 너희들 선생님 손잡는 날 정했어?"

"네, 요일마다 정해서 잡아요. 그런데 아랑이가 어제 학교 안 와서 월요일인줄 알았나 봐요. 그래서 재가 잡았어요. 화요일은 나랑 미진이가 잡는 날이에요."

잠시 기가 막혀 말이 안 나온다. 내 손을 잡으려고 가끔 다투기는 했어도 자기들끼리 이런 꾀를 내어 선생님 손잡는 요일까지 정했다니……

아이들 손을 잡고 있는 내 손이 바르르 떨리며 전율이 느껴졌다. 가슴까지 먹먹할 정도로 아이들이 고마웠다.

나의 손을 잡고 신호를 기다리던 유선이가 어리광을 부린다.

"우리 선생님 손은 100살도 더 머거쪄!"

"100살은 무슨? 선생님 100살 안 먹었거든!"

여하튼 나이도 많이 먹었지만 내 손은 유난히 거칠고 주름이 많아 나이보다 더 늙어있다. 그걸 느끼는 유선이다.

나는 약간 삐친 어투로 말했다.

"100살도 더 먹은 선생님 손을 너희들은 왜 맨날 잡으려고 그러니?"

"그래도 선생님이 좋은 걸 어떡해요?"

아~ 지금도 유선이가 말한 '100살도 더 먹은 선생님 손'이 생각나 쭈글 거리는 손을 부비며 행복에 젖곤 한다.

원중이 이야기

공부 시간에 곤히 잠들어 있는 우리 꼬마 원중이.

"선생님, 원중이 자요."

"쉿! 원중이 깨우지 마."

수업은 계속되고 얼마가 지났을까?

원중이가 다 잤는지 기지개를 펴고 일어난다.

"원중이 잘 잤구나? 이제부터 집중하고 공부하자."

이런 일은 우리 아이들에게는 특종감이다. 아이들 특성상 뉴스거리는 하교 때 해당 엄마를 만나면 제일 먼저 전해준다. 이 일도 원중이 엄마를 가장 먼저 만난 친구가 말한다.

"원중이 공부 시간에 쿨쿨 잤어요."

"그런데 우리 선생님이 깨우지 말랬어요. 우리 보고 조용히 하랬어요."

"원중이 하나도 안 혼났어요."

아이들은 원중 엄마에게 다 말했단다.

어느 날 즐거운 생활 시간에 모둠별로 노래에 맞춰 춤동작을 만들어 발표하는 시간이 있었다. 모두들 웃고 떠들며 재미있게 하고 있었다.

그런데 저쪽 한편에서 어깨를 살포시 올렸다 내렸다 그리고 팔에 힘을 빼고 부드럽게 움직이며 음악에 취해 있는 원중이를 발견하였다.

"얘들아, 잠깐 멈추고 원중이 하는 걸 보자. 원중아, 다시 해 봐."

원중이는 잘하려고 더 열심히 하였다. 원중이의 그 모습이 참으로 예뻤다.

아주 작은 일, 하찮은 것 같은 작은 몸짓에도 관심을 갖고 자세히 들여다보면 칭찬 거리가 보인다. 그때를 포착하여 칭찬하고 응원하고 도와준다. 때에 맞는 응원과 칭찬은 아이들을 성장시키기 때문이다.

우리 아이들의 격려의 박수도 고맙고 예뻤다. 잠깐 행복감에 취해 있었다.

'아~ 이쁜 녀석들!'

퇴임하기 전년도에 있었던 일이다. 그때 우리 반 아이들이 32명이었다.

퇴임할 때 전년도 학부모들이 조촐하게 식사자리를 마련해 주셨다. 조그마한 선물도 받았다.

비가 억수 같이 쏟아지는 그날, 그 자리에 나의 퇴임을 아쉬워하며 축하해주기 위해 나와 주신 분들이 28명이었다. 네 분이 특별한 사정으로 못 나오셨다는 이야기를 반 대표 엄마한테 전해 들었다.

그 자리에서 원중이 엄마의 감사했다는 말씀도 다시 들을 수 있었다.

"선생님, 정말 감사합니다. 우리 원중이 작고 어려서 어떻게 학교생활할까 많이 염려했습니다. 그런 우리 원중이를 이해하고 잘 돌봐 주셔서 진심으로 감사드립니다."

"고맙습니다. 아이들은 때를 기다리며 작은 것에도 잘 살펴서 칭찬하고 격려하면 모두가 잘 자랍니다. 기다림과 칭찬이지요."

아이들 교육은 무한한 기다림이다.

"선생님은 어떻게 우리 아이들 모두의 개성과 특성을 그리도 잘 아시고 일 년 동안 있었던 일을 다 기억하세요?"

"선생이라면 모두가 다 알지요. 그리고 저는 오래 했잖아요?"

나는 자리에 참석한 엄마들과 아이들의 이야기로 한 분 한 분과 담소는 계속 이어졌다.

내 아이의 이야기며, 담임인 나에게 감사한 진솔한 이야기들을 편안하게 주고받으며 시간 가는 줄 몰랐다.

나이든 담임의 말을 끝까지 경청하고 신뢰해주는 엄마들과 진심으로 아이들 교육에 대한 대화를 나눌 수 있는 시간이었다.

'아~ 감사하고 행복하다!'

지금 생각해도 억수같이 비 쏟아지던 그날 그 자리에 와주신 엄마들이 너무나 고맙고 오늘도 가슴 저리도록 행복하다.

평소 뒤에서 말없이 봉사정신으로 궂은일을 맡아하고, 솔선수범으로 담임을 도와준 반 대표 엄마의 역할이 있었기에 가능한 일이었다.

지금도 그분에게 감사하다.

수연이 이야기

수연이는 말없이 조용히 공부를 잘하는 아이다.

그러나 수연이를 바라보면 표정이 우울해 보이고 잘 알고 있는 질문에도 머뭇거리고 자신이 없어했다. 모둠 조별 수업에도 소극적이다.

교사가 특별히 신경 쓸 필요가 없다고 생각하면 아무렇지 않게 지나칠 수 있다.

그러나 '왜 그럴까?'

수연이를 밝고 자신감 있는 아이로 변화를 주고 싶었다.

학부모와 상담기간 중에 엄마가 상담을 신청했다.

엄마는 중학교 영어 교사, 아빠는 헌법재판소 연구원이란다. 아빠가 영국으로 유학을 가게 되서 가족 모두가 같이 갔는데, 그 기회에 엄마도 학교를 다니기 위해 그 낯선 곳에서 수연이를 유치원에 보내야만 했단다. 몸집 큰 선생님이 알아들을 수 없는 말로 가르치니 항상 무섭고 불안에 떨며 지낸 어린 수연이의 가슴 아픈 사연을 들을 수 있었다.

2학년이 되어서는 "학교가 재미있어요. 선생님이 친절하세요."하며 학교에서 있었던 일을 제법 쫑알쫑알 말하는 딸의 행복한 모습에 선생님을 뵙고 싶어 왔다고 했다.

수연이의 밝고 적극적인 모습으로의 변화는 쉽게 나타났다. 아이들과 공감대를 형성하며 수연이의 장점을 조금씩 부각시켰다.

"수연이는 공부 시간에 옆 사람과 떠드는 거 봤어요?. 공부 시간에 집중을 잘해서 공부도 잘하지요?"

우리 아이들과 함께 칭찬을 통해 자신감을 갖게 하니 밝은 얼굴로 금방 돌아오고 발표력도 점점 좋아졌다.

내가 퇴임을 한 후 내가 일하는 곳으로 중학교 교복을 입고 혼자 찾아와 수줍은 얼굴로 꽃 한 송이를 건네는 수연이.

"선생님, 보고 싶었어요. 선생님 덕분에 공부 잘하고 있어요. 감사합니다."

뵙고 싶었단다. 그리고 나를 꼭 안아주었다. 우리는 한참이나 안고 있었다.

이 또한 얼마나 행복한가!

다른 아이들이 전해준 말이 생각났다.

"선생님, 중학교에서 수연이가 일등했어요."

세상에 이런 일도

나는 작은 바구니에 소형 앰프와 동화책을 넣어 계단을 오르락내리락하면서 감회에 젖는다.

이제는 세월이 지나 몇 번씩이나 고쳐서 쓰다가 정년퇴임으로 쓸모없다고 생각했던 이 앰프를 다시 꺼내 들고 이반 저반으로 다니며 책 읽어 주는 기간제 교사를 하고 있다. 정년을 했으니 이제는 학교에서 아이들을 가르친다는 것은 생각도 못 했다. 그런데 한시적으로 기간제 교사가 법적으로 인정이 된 것이다. 여러 학교에서 오라고는 했지만 하는 일이 있어서 거절했는데 김경희 교장님이 불러서 가게 된 것이다.

앰프를 들고 이반 저반을 다니며 오래전에 근무한 학교에서 있었던, 소형 앰프에 얽힌 사연이 떠오른다.

그해 1학년을 맡고 있었다.

비 오는 어느 날 아이들은 비가 오면 어수선하고 소란을 피워서 수업 시간에 집중이 안 된다. 기압 탓일까? 짜증나도록 힘든 날이었다.

화장실을 다녀오던 아이들이 우르르 몰려왔다.

"선생님, 민규가 화장실에서 우리를 때리고 괴롭혀요."

또 민규가 친구들을 괴롭게 한 모양이다. 사실 괴롭힌다고 하지만 툭툭 건드리는 것 같았다.

"민규가 장난하느라 그냥 툭 건드린 것 같은데 괴롭혔다고 하면 안 돼. 친구니까 같이 놀면 되지."

나는 그냥 무마시키고 싶었다.

"아니에요. 선생님, 민규가 화장실 바닥에 밀어 쓰러뜨려 놓고 발로 막 밟았어요."

"맞아요. 민규가 그랬어요."

갑자기 일이 심각했다. 화장실에서 애들을 엎어놓고 발로 밟다니……

"알았어. 민규 꾸중 들어야겠다. 민규는 공부 끝나고 뒤에가서 있어."

그리고 아이들을 데리고 하교지도를 하러 나갔다.

그런데 어떤 시골 할머니 한 분이 다가왔다.

"아그들아, 우리 민규는 위째 안 보인다냐?"

"민규가 말썽 피워서 선생님이 남으라고 해서 교실에 있어요."

할머니 표정이 굳어지더니 민규가 있는 교실을 향해 황급히 가셨다.

그리고 내가 하교지도를 마치고 교실로 들어오자마자 나를 향해 흥분한 표정으로 말한다.

"선상님. 워째 우리 민규만 안 보내고 이렇게 남게 한당가요? 무엇을 그리 잘못했는지 한번 따져 볼랑게요."

흥분해서 격한 남도 사투리로 나를 몰아세우셨다. 손자 우산 갖고 일부러 왔는데, 벌 받고 있는 손주를 대하는 할머니의 마음을 백번 이해하고도 남았다.

나는 할머니의 손을 꼬옥 잡아드리면서 내 의자를 내어드리고 앉게 했다. 민규를 때린 것도 아니고 민규를 타일러야 하겠기에 민규를 남긴 것뿐이니 오해 푸시라고 했다. 그리고 한참 후에야 할머니의 화는 풀리셨다.

"민규 쟈가 집에서도 지에미 말도 잘 안 들어 부려요."

할머니는 계속해서 딸네 복잡한 가정사까지 속상한 말씀을 많이도 하셨다.

다음날은 민규 엄마가 와서 상담했다.

그동안 민규는 아이들 괴롭히는 걸로 자기 쌓인 스트레스를 풀고 있었던 것이다.

나는 그런 여러 가지 사정을 알고 난 후 민규에게 집중하여 관심을 보였다. 내 심부름도 일부러 시켰다. 아이들은 선생님 심부름을 아주 좋아한다. 선생님의 심부름은 자기를 인정해주고 사랑해준다고 느끼는 것이다. 발표하려고 손들면 다른 아이들보다 더 시켜 주고 칭찬거리를 찾아 칭찬도 많이 해주었다.

　민규는 똑똑한 아이다. 선생님의 관심과 사랑을 알아차리는 것이다. 점차 아이들 괴롭히는 것이 줄어들었다. 혹 습관적으로 친구들을 건드릴 때도 있지만 금방 잘못을 인정하고 그 친구에게 사과까지 한다.

　그럴 즈음 갑자기 내 목소리가 전혀 나오지 않았다. 병원에 갔더니 성대 결절로 당분간 학교를 쉬든가 수술을 해야 한다고 했다. 그 시절에는 병가를 내도 강사를 쓰는 제도가 없었다. 그리고 성대 결절 수술하는 의료 기술도 지금 같이 발달이 안 되었던 때이다.

　어쩔 수 없이 나오지 않는 목소리로 수업을 할 수밖에 없는 처지였다.

　우선 칠판에 '선생님 성대 결절이라는 병으로 목소리가 하나도 안 나오니까 선생님 입 모양 보고 공부해야 해'라고 썼다.

　처음에는 웅성거리더니 이윽고 아이들은 내 입 모양에 집중했다. 알아들으려고 초롱초롱한 눈빛으로 내 입 모양에 집중하는 모습이 너무나 귀엽고 고마웠다. 더군다나 그 말썽 피우던 민규가 나서서, 내 입 모양을 보고 통역을 해주듯 친구들에게 다시 말해주기도 했다.

　칠판에 쓰기도 하고 아주 작은 소리로 설명하면서 수업을 계속했다.

　조금씩이나마 목소리가 나와 아주 작은 소리로 수업을 했다.

우리 아이들이 많이 도와준 셈이다. 떠드는 것도 조심하고 자기들끼리 토의하고 발표하고 참으로 기특했다. 거기에 민규가 한몫한 셈이다.

아이들 하교지도하고 교실에 들어오니 두 분 엄마가 나를 기다리고 있었다.

그들은 조심스레 상자를 내밀었다.

"선생님 목 아프다고 우리 아이들이 많이 걱정하기에 저희 둘이 의논해서 소형 앰프를 사왔어요."

'아니! 이렇게 고마울 수가……'

내가 고맙다는 말을 할 틈도 주지 않고 소형 앰프를 놓고 황급히 나갔다.

그 소형 앰프는 한동안 정말 요긴하게 사용했다. 운동장 수업도 들고 나가서 하고.

물건값도 값이지만 그 엄마들의 마음과 정성이 나에게 큰 힘을 주었다. 이런 사연이 있기에 오래된 물건이지만 고쳐 쓰고 또 고쳐 썼다.

바구니에 넣고 다니며 퇴임 후에도 사용할 줄이야.

'세상에 이런 일도 있구나!'

그분들과 민규 그리고 우리 아이들을 그리워하면서……

칭찬과 꾸중 그리고 나를 되돌아보는 시간

막 수업을 시작하려고 수학 교과서를 펴고 수업 안내를 하고 있는데 갑자기 성희가 소리친다.

"선생님, 지금 그거 하지 말고 다른 거해요!"

성희는 짜증을 부리면서 다른 수업을 하잔다.

난 깜짝 놀라 성희의 표정을 살폈다.

"성희야, 왜?"

성희는 더 짜증을 내면서 떼를 쓴다.

"전 수학 재미없어요. 수학하기 싫어요!"

그리고는 아이들을 향해 또다시 윽박지른다.

"애들아, 니네도 수학하기 싫지?"

아이들은 성희 눈치도 살피고 내 눈치도 살피느라 잠시 조용하다.

그 상황에서 수업을 계속할 수가 없었다.

나는 가끔 그날의 시간표를 아이들과 의논하며 앞뒤로 바꿀 때가 종종 있다. 그러나 이미 정해진 수업을 시작하는데 이런 돌발적인 사태가 벌어진 것이다.

사실 성희는 수학을 못하지는 않지만 다른 것에 비해 흥미도가 낮은 편인 걸 이미 알고는 있다

나는 재빨리 성희 자리로 가서 성희의 손을 잡아끌었다. 그리고 교실을 나와 학년협의실 겸 자료실로 사용하는 교실로 데리고 갔다. 바닥에 앉으라고 하니까 반항적으로 의자에 앉으려고 하는 성희를 강제적으로 바닥에 앉게 했다. 왜 여기에 왔는지 그리고 무엇이 잘못인지 생각하라고, 혼자 놔두고 나는 교실로 왔다.

교실에서는 똑똑하고 못하는 게 없는 강한 성희를, 선생님이 혼내는 것이 의아했는지, 아니면 올 게 왔다고 반기는 것인지, 비교적 조용히 끼리끼리 수군거리고 있었다.

"얘들아, 수학 공부하자. 성희는 조용히 생각해보라고 했어."

그래도 아이들은 성희가 궁금한 모양이다.

"얘들아, 선생님이 성희 많이 예뻐하잖아. 그런데 선생님이 하는 수업까지도 자기 마음대로 하자고 하는 건 큰 잘못이지."

"선생님, 성희는 우리하고도 저 하고 싶은 대로만 하려고 해요."

"맞아요! 우리가 다른 거 하자면 막 화내고 짜증내고 다음에는 자기 말 안 듣는 친구는 안 시켜줘요."

"성희가 무서워요."

"재미있기는 하지만 성희 말만 잘 들어야 해요. 성희가 왕이에요."

얼마 전에 전학온 유진이가 끼어든다.

"선생님, 저 전학왔을 때 저 왕따시켰어요. 애들보고 나하고는 놀지 말라고 그랬대요. 잘난 척하는 애 같다고요."

아이들이 그동안 쌓인 감정을 잘도 드러낸다. 마치 성희 성토장 같다.

"그래 잘 알았어. 너희도 성희 뭐든지 잘하고 재미있는 것은 인정하잖아. 우리 반에 성희 없으면 무슨 재미가 있겠니? 선생님이 성희 그런 점은 잘 지도해 볼게."

수학 공부는 하는 둥 마는 둥 제대로 못하고 쉬는 시간이 되었다.

나는 성희한테로 갔다. 쉬는 시간이라 선생님들이 자료를 가지러 왔다가 성희를 힐끔 쳐다보고는 한마디씩 했다.

"조성희도 야단맞는구나."

성희의 자존심이 얼마나 상했을까? 그리고 강하다고는 하나 얼마나 두렵고 무서웠을까? 그러나 꼭 고쳐야 할 문제다.

나도 성희가 앉아 있는 바닥에 앉아서 성희의 손을 잡았다.

"성희야, 선생님 눈 똑바로 쳐다봐."

성희는 선생님 눈을 피했다. 예뻐하고 칭찬만 해주시던 선생님이 이렇게까지 한 것이 성희는 분하고 원통했을까?

"성희야, 선생님 눈을 쳐다봐. 오늘 성희가 왜 여기 와 있는

지 생각해봤어? 너 선생님 많이 좋아하지? 선생님이 성희 많이 사랑하는 것도 알지? 그런데 왜 여기 왔을까?"

한동안 버티고 외면하던 성희가 드디어 눈물을 주르륵 흘렸다.

내가 꼬옥 안아주니 내 품에 안겨 꺼억꺼억 소리 내며 울기 시작했다.

성희는 한참 후에야 울음을 멈췄다. 나와 성희는 아무 말도 하지 않았다.

본인의 잘못을 인지하고 반성했을까? 선생님에 대한 섭섭함이 더 컸을까?

말을 안 해도 성희는 이것저것 생각하며 느꼈을 것이다. 성희는 감수성도 예민하고 똑똑한 아이다. 무조건 칭찬만이 아이를 바로 키울 수는 없다.

그 이후 성희는 빠르게 변화하였다. 아이들 사이에서도 양보하고 배려하는 정말 똑똑하고 예쁜 성희가 되었다. 아이들도 성희를 진심으로 좋아했다.

올바른 꾸중은 섣부른 칭찬보다 훨씬 효과적일 때도 많다.

나는 아이들에게 꾸중하거나 벌을 주는 것보다 칭찬을 많이 한다. 의미 없는 칭찬이 아니라 작은 것도 세심히 관찰하여 아이도 공감할 수 있는 좋아진 점, 잘하고 있는 점, 노력하고 있는 점을 칭찬한다.

그럴 때 아이들은 자신감이 생기고, 행복해하고 바람직하게 변화하는 걸 알 수 있다.

칭찬은 구체적으로, 왜 칭찬을 하는 것인지 분명해야 한다. 그래야 칭찬의 효과가 극대화한다.

말로 하는 칭찬만 칭찬은 아니다.

아이를 믿어 준다는 것은 제일 좋은 칭찬의 방법이라고 생각한다. 특히 가정에서 부모가 아이를 믿어 주는 것은 절대적인 칭찬의 방법이라고 생각한다. 어떤 상황에서는 살짝 안아 준다든지, 머리를 쓰다듬어 준다든지, 조금 멀리서 눈을 마주치고 살짝 웃어 주는 일 또한 칭찬의 좋은 방법이다.

사람은 누구나 일장일단이 있다고 한다. 그렇지만 나는 아이들을 지도하면서 하나의 단점을 찾아 고쳐 주기보다는 장점을 더 찾으려고 애쓴다. 장점을 찾아 칭찬하고 인정하면 이상하게도 장점은 더 커지고 단점은 아주 작아지는 것을 수없이 많이 봤다.

발표는 아주 잘하는데, 글씨를 아주 밉게 쓰는 아이는 글씨 못쓰는 것은 뒤로 미룬다.

공부를 잘하는데 발표를 못하는 아이도 발표 못한다고 윽박지르지 않고 기다린다. 그러면 분명 발표를 잘할 때가 온다. 그때 크게 칭찬해 준다.

잘하는 것 자체를 인정하고 칭찬해 줄 때, 못하는 것은 차츰 잘하게 된다. 자신감을 키우는 게 먼저다. 못하는 것은 뒤에 지도해도 늦지 않는다.

칭찬은 고래도 춤춘다고 해서 의미 없이 던지는 칭찬은 해서는 안 된다. 박수가 끝난 고래는 절대로 춤을 추지 않는다고 하지 않던가?

'넌 머리가 좋아서 공부를 잘할 수 있어. 넌 착하니까 동생한 테 양보할 수 있지? 등등……'

머리가 좋으니까 열심히 안 해도 잘할 수 있다는 인식을 부여하고 있는 것이다. 또한 착하니까 라는 말을 많이 쓴다. 그 말에 어쩔 수 없이 하기는 한다 어렸을 때는.

그러나 마음속으로는 울화가 쌓이기도 하고, 난 착하지 않은 데 착한 척을 해야 한다. 겉과 속이 다른 사람으로 자랄 수 있는 요인이 크다고 본다.

아이한테 잘하는 점을 찾아 더 크게 키워주고, 아이한테 잘 못하는 점은 기다리거나 모른 척할 때 아이는 자신감을 가지고 바르게 잘 자란다.

나는 어떤 아이를 꾸중했을 때는, 그날의 잘한 점을 눈여겨 봤다가 꼭 칭찬한다. '이랬기 때문에 오늘 꾸중 들었는데 이런 점은 참 좋았어'라고 구체적으로 말해준다. 그래야 마음에 상처도 없이 고칠 부분은 고쳐 나가고, 더 잘하려고 노력한다.

오래전부터 나는 보상 스티커를 사용하지 않았다. 가끔 학교에서 스티커 많이 받은 아이 시상을 할 때가 있으면, 우리 반은 아이들과 의논하여 결정한다.

아이들은, 스티커를 주게 되면 스티커에만 온 신경을 다 쓰고 스티커에 목숨을 건다. 엄마들도 마찬가지로 누가 스티커 몇 개 받았는지 비교하고 불공평하다고 불평도 하게 된다.

과연 어느 잣대로 스티커를 아이들의 마음을 다치지 않게 줄수 있겠는가? 특히 바른 행동이나 인성에 관한 것에 보상 스티커 사용은 무리다. 그때그때 적절한 칭찬과 격려가 필요할 따름이다.

우리 반에서만 스티커 대신 유일하게 '가족상'이라는 걸 시도해 봤다.

가족상이란? 아이들이 칭찬 받을 만한 일을 했을 때 그 아이의 가족 수만큼 사탕을 주는 상이다.

내가 무엇을 잘해서 칭찬을 받았는지, 가족에게 얘깃거리도되고 가족에게 크나큰 선물로 자리매김을 할 수 있었다.

동생은 형이나 누나가 가족상을 받아오는지 궁금해서 기다리고, 형이 주는 사탕에 형의 위상은 자연스레 커지게 마련이다.

아이는 아빠 몫 사탕을 드리려고 아빠 오시기를 기다리고, 작은 사탕 몇 개가 집안의 분위기를 화목하게 해주는 것이다.

아이들 일기 속에, 나한테 보내는 편지 속에 많이도 등장하는 가족상 이야기다. 그때의 고마움과 행복을 나에게 전해준다.

또 한 가지, 우리 아이들과 했던 '나를 되돌아보는 시간!'

매시간 끝에 하면 더 효과 적일 수도 있다. 하지만 시간이 허락하지 않으면 마지막 수업을 마치고 그날의 반성의 시간을 잠깐 갖는다. 반성이라는 어휘는 옳고 그른 것, 잘한 것 못한 것을 자신이 따져보는 것이겠지만, 일반적으로 잘못한 것만을 뉘우치라는 생각이 앞서기 때문에, 우리 반에서는 '나를 되돌아보는 시간'이라고 명명했다.

"얘들아, 오늘 '되돌아보는 시간'이다. 누구부터 얘기해볼까?"

"네, 저는 저를 칭찬하겠습니다. 오늘 슬기로운 시간에 선생님 설명을 집중하여 들었습니다."

"그래요. 선생님도 찬우 그렇게 생각했어요. 그래서 설명할 때 눈빛으로 찬우 칭찬했지요?"

"네, 기분이 좋았어요. 선생님 설명할 때 더 잘 들을 거예요."

"저도 발표하겠습니다. 저는 예은이를 칭찬합니다. 오늘 지우개를 안 가지고 왔는데 예은이가 빌려줘서 예은이가 고마웠어요."

"그랬구나. 지우개 빌려준 예은이도 예쁘고 예은이를 칭찬한 민지도 예뻐요."

"저는 잘못한 것을 말해 보겠습니다. 아침 독서 시간에 너무 많은 책을 가지고 와서 다른 친구가 그걸 보자고 했는데 내가 볼 거라고 주지 않았습니다. 다음부터는 친구가 본다고 하면 먼저 보라고 하겠습니다."

아이들의 '되돌아보기'는 계속된다.

"네, 저는 동찬이를 칭찬합니다. 동찬이는 국어 시간에 자기의 의견을 잘 얘기했습니다."

"응, 그랬구나. 철이가 동찬이를 칭찬해줘서 고맙다."

우선 자기 자신의 되돌아보기는 잘한 것과 잘못한 것을 발표할 수 있으나 다른 친구는 잘했다고 생각하는 것만 발표하기로 약속했다. 어떤 사소한 일이라도 발표자의 입장을 존중하여 박수를 쳐준다. 어떤 나쁜 일이라도 발표한 내용에 대해서 그 시간에는 꾸중하지 않는다.

시간이 길지 않기 때문에 5~6명 정도의 얘기를 들어본다.

자기 자신 스스로 잘한 것 못한 것을 깨닫고 친구의 잘한 점을 찾아 칭찬해주는 시간은 어린 1학년도 가능했다. 그리고 우리 아이들이 잘 자라 준 큰 힘이라고 생각한다.

"얘들아, 지금도 '나를 되돌아보는 시간' 갖고 있니? 안 하면 오늘부터 다시 시작하는 건 어떨까?"

아이들에게 편지를

그해의 겨울방학은 유난히 길었다.

'이 긴 겨울방학을 어떻게 지낼까? 우리집 애들과 친척 집도 다니고 뒹굴뒹굴 쉬어도 보고⋯⋯' 이렇게 겨울방학 계획을 세우고 있었다.

그러다 생각난 것이 '방학 동안에 우리 반 아이들에게 편지를 써보면 어떨까? 우리 아이들이 얼마나 반갑고 즐거워할까? 아이들에게는 선생님이나 다른 사람에게 편지 쓰기를 숙제 내주는데 이번에는 내가 써 보자.'

우리 아이들 모두에게 담임인 내가 편지를 보내는 것이다. 시간이 없어 못다 한 이야기며 격려와 칭찬 또는 고쳐야 할 점들을 써 보낸다.

방학 전에 미리 말하지 않고 보내는 것이다.

담임의 편지를 받는 아이들의 기쁨은 무척이나 컸을 것이다. 같은 날짜에 보낼 수가 없어 반 번호대로 써서 보낸다. 그러면

한동네 친구들이라도 받는 날이 다르기 때문에, 본인에게는 선생님의 편지가 없다고 실망도 하고 기다려도 보다가 받게 되면 더 기뻐하더란다.

답장은 의무가 아니었다. 해도 좋고 안 해도 꾸지람이 없다. 그러나 거의 모두 답장이 왔다. 그리고 답장은 의무는 아니지만 예의라는 것도 방학 끝나고 지도했다.

강용이는 영리한 아이였다. 그러나 문제점 또한 많은 아이였다. 엄마랑 상담도 하고 쪽지도 자주 주고받았다. 강용이 엄마는 아들에 대한 애정과 관심도 컸고, 강용이 때문에 교육 도서도 많이 보았다고 했다. 그리고 나를 만나서 많이 좋아진 거라고는 했지만 내가 볼 때는 고쳐야 할 점이 많았다.

사실 강용이는 나한테 엽서 편지를 먼저 보냈다. 그래서 답장 겸 편지를 해 주었다.

내가 겨울방학에 강용이에게 보낸 편지에 감동을 받았는지 동생 때리는 것도 많이 줄어들었다고 했다. 개학을 하고 학교에서도 아이들 때리는 것이 눈에 띄게 좋아지는 것을 느꼈다.

이런 일을 해마다 하리라 마음먹었는데 두 해 하고는 못한 것이 아쉬움으로 남아 있다. 우리 반 아이들이 너무나 좋아 하고 아이들과 사이가 가까워지니까 엄마들도 무척이나 반기는 모습이었다. 그러나 쉬운 일은 아니었다.

그 후 개인적으로 필요할 때 아이들에게 쪽지 글은 자주 써 보냈다. 그리고 아이들의 편지글 답장이야 당연히 써 보냈지

만 가끔은 내가 먼저 칭찬과 격려의 편지도 보냈다

　여기에 강용, 혜진, 도경이에게 보낸 편지글을 옮긴다.

우리 강용이에게

　강용이가 보내준 엽서와 글 잘 받아 보았어.

　선생님은 참 기뻤단다.

　강용이 네 손으로 직접 만든 것이라서 선생님은 더욱 좋더라.

　용식이한테도 편지가 왔더구나. 그래서 강용이 네 편지는 두 번째 편지야. 강용이가 제일 일등으로 보내고 싶었을 텐데……

　우리 강용이는 무엇이든지 일등하고 싶어 하잖아. 열심히 노력하여 일등하는 것은 참 좋은 일이지.

　강용이에게는 칭찬해줄 점이 많아.

　우선 일등하고 싶어 하는 것. 일등하고 싶어 노력하는 것은 칭찬받을 일이지. 둘째 창의력이 대단히 좋아서 선생님이 깜짝깜짝 놀라잖아. 셋째 강용이가 하고 싶은 일을 할 때는 집중력이 대단하지. 넷째 운동도 못하는 것이 없고, 다섯째 좋은 표현으로 솔직하게 일기 쓰는 것. 여섯째 선생님 보고 환히 웃을 때.

　그래서 선생님은 강용이가 아주 많이 예뻤단다.

　아~ 또 있구나, 우리 반 문집 만들 때 엄마가 타자 친 것 들고 자전거 타고 쌩~ 엄마 심부름 왔을 때.

　강용이 칭찬 끝이 없겠네?

그런데 우리 이강용. 고쳐야 할 점도 있는 거 알고는 있지? 잘 안 고쳐져서 엄마도 선생님도 속상해 하잖아. 지금부터 강용이가 고쳐야 할 것 두 가지만 쓸게.

　첫째 강용이 생각만 하지 말고 다른 친구들 생각도 한 번 해봐. 즉 입장을 바꿔보는 거지.

　예를 들면 모두가 줄을 서서 차례를 기다리는데 강용이 너는 새치기를 잘하잖아. 그리고 새치기 하지 말라는 친구를 막 때리지? 그 친구는 얼마나 억울하겠니?

　너 혼자는 빨라서 좋겠지만 반대로 생각해보자.

　네가 앞에서 차례를 기다리는데 다른 친구가 새치기를 하면 강용이는 기분이 아주 안 좋겠지? 그럴 때 우리 이강용은 힘이 좋으니까 다른 친구를 세게 막 때렸거든?

　그럴 때마다 선생님은 속이 많이 상했지.

　어떻게 하면 강용이의 나쁜 버릇이 고쳐질까?

　선생님 생각에는 강용이가 먼저 할 욕심으로 새치기를 안 했으면 정말 좋겠어. 그리고 다른 친구들 아무 때나 때리지 말고.

　두 번째 고쳐야 할 것도 매우 중요하단다.

　공부 시간에 선생님을 똑바로 바라보았으면 좋겠어.

　선생님이 사랑의 눈빛으로 강용이의 눈을 찾아갔는데 선생님을 안 보고 친구들을 건드려 괴롭힐 때가 아주 많거든. 그것도 꼭 고쳤으면 좋겠어.

　우리 이강용! 이 두 가지만 고치면 너희들 말대로 강용이 '캡' 인데……

그러면 네가 좋아하는 '가족상'으로 사탕도 자주 받아서 엄마 아빠가 무척이나 강용이를 사랑할 거야.

선생님은 강용이 말고 다른 친구들에게도 편지를 보내고 있단다. 그리고 컴퓨터를 배우고 있어. 강용이 너한테 컴퓨터로 편지 쓰는 게 처음이야.

방학이 아주아주 많이 남아 있으니까 강용이 하고 싶은 것 많이 해. 엄마의 사랑도 동생보다 더 많이 받고 책 읽는 거 좋아하니까 책도 많이 읽으면 좋지.

무엇보다 중요한 것은 실컷 노는 거야. 친구들과 사이좋게 정말 실컷 놀아라!

— 담임 김용숙 선생님이 씀

인생 2막의 기쁨

"얘, 영재 아냐?"

"어머~ 너무 똑똑해!"

"아구구, 우리 집안에 신동 났네!"

"정말 영리해."

"영재발굴단 제작진에 연락할까?"

나랑 남편이랑 팔삭둥이 우리 손주 지민이 보고 감탄하는 말이다.

우리 손주는 여덟 달 만에 태어났다. 그것도 모자라 낳자마자 애미 애비가 얼굴 볼 새도 없이 앰뷸런스에 실려 대학병원으로 이송되었다. 이송되어가는 앰뷸런스 뒤를 아들과 나는 뒤쫓고 있었다. 그때의 심정을 어찌 다 말로 표현할 수 있을까?

바로 중환자실에 입원되었고, 부모 외에는 면회가 불가해 아들이 찍어 보내는 사진과 영상을 매일 초조하게 마음을 졸이며 기다려야만 했다.

코와 입으로 연결한 줄 그리고 엄청 큰 주삿바늘 등 벌거벗은 몸에 여러 가닥의 줄이 연결되어 있는 사진과 영상을 보면서 얼마나 안타까웠는지……

어느 날 아들이 보내온 영상 속에서 강한 생명력이 느껴졌다.

나는 저절로 '하나님, 감사합니다. 하나님, 감사합니다' 조용히 감사기도를 드렸다.

중환자실에서 한 달여 입원했다가 생각보다 일찍 퇴원했다.

우유 10cc를 먹는데 1시간이나 걸렸다.

면역력이 걱정스러워 친척들도 오가는 것을 금지했다. 그러나 나는 손자 돌보러 매일 출퇴근했다.

우리 언니들, 친구들, 선배님들까지 그 먼 길을 출퇴근하며 손자 돌보러 가는 건 무리라고 말렸다. 그냥 손자 보는 것도 힘들어 기피하고, 남은 인생을 즐기는 추세인데 어떻게 그 먼 길을 출퇴근하려느냐고 다들 말렸다. 게다가 저녁때 하는 일도 있었다.

편도 2시간 걸리는 거리다. 20분 넘게 걸어 전철을 두 번 갈아타고 다시 버스 타고, 쉬운 일은 아니었다. 그러나 마음먹기에 달렸다.

'이런 세상도 살아 보는구나!' 하며 새로운 환경에 설레기까지 한다.

새벽에 길을 나서면 만나는 미화원 아저씨가 "수고가 많으십니다" 밝게 인사하면 기분 좋게 받아준다.

　나는 운동하는 셈치고 25분 거리를 걸어 전철을 타러간다.

　'지민아, 고마워. 할머니 새벽 운동할 수 있게 해줘서. 지민이 아니면 할머니 이 새벽에 걷기 운동하겠니?'

　전철은 매일 같은 칸에 탄다. 눈 붙이지 않고 잠시 책을 읽는다. 여유롭게 책 읽을 이 시간이 덤으로 생겼다

　'지민아, 고마워. 할머니한테 책 읽을 시간도 줬네!'

　모처럼 전철에서 책을 읽으며 지민이에게 또 고마워한다.

　전철을 타고 30여 분 책을 읽다보면 아파트 청소하러 간다는 할머니가 탄다.

　그분과는 이 얘기 저 얘기 담소도 나눈다. 마누라와 며느리 보기 싫어 새벽부터 등산 가신다는 어느 할아버지의 딱한 신세 타령도 듣게 되고.

　공항철도로 바꿔 타려면 출근하는 젊은 사람들과 어깨를 부딪히며, 나도 그들처럼 일터로 출근한다는 자긍심과 에너지까지 솟구친다.

　5분여 버스를 타며 만나는 미술 선생님과의 정다운 대화, 아파트 정문에서 씩씩한 발걸음인 나를 아침마다 기다린다며 반갑게 맞이해주는 경비원 아저씨와의 만남까지도 나를 행복하게 해준다.

나는 이윽고 며느리 출근 30분 전에 도착한다. 오랜 직장생활이 몸에 배인 탓도 있겠지만 며느리가 편안히 출근 준비하라는 내 딴에 시어머니의 큰 배려다.

　도착하자마자 여기저기서 듣고 배운 것을 총동원해 온 정성을 다해 지민이에게 스트레칭을 해준다.

　우리 손자 김 · 지 · 민!

　지혜로울 지, 총명할 민, 총명하고 지혜로운 사람이 되어 큰 인물이 되라고, 우리 가족의 이름 공모전에서 사위가 작명한 것이 뽑혔다. 태몽도 꿔주더니 이름까지도 고맙다.

　나는 지민이를 품에 꼭 안고 거실을 왔다 갔다 하며 읊조린다.

　"지민아! 네 이름은 지민이야. 지혜로울 지, 총명할 민, 지민이지. 지혜롭고 총명하게 자라서 우리 지민이 큰 인물 되는 거야!"

　아빠 이름, 엄마 이름 그리고 하는 일까지도 매일 들려준다.

　"지민아! 오늘은 할머니가 노란 개나리를 보았어. 개나리는 제일 먼저 봄을 알리는 꽃이지. 지민이 태명이 '보미'잖아. 봄에 태어난다고 그렇게 붙여줬는데 네가 뭐가 급했는지 일찍 나왔단다. 그래서 우리 모두가 깜짝 놀랐지."

　내가 출근하며 본 것 느낀 것들을 우리 손자에게 동화 들려주듯 얘기해준다.

　밝고 따뜻한 햇빛, 바람, 비 등 그날의 날씨도 빠질 수 없는 단골 메뉴다.

"지민아, 할머니가 몇 가지의 꽃을 얘기해줬지? 개나리, 목
련화, 진달래, 철쭉, 벚꽃 다섯 가지 얘기해줬네? 오늘은 꽃비
가 내리더라. 꽃비를 어떻게 알려줄까? 전날 벚꽃 얘기해줬
지? 그 벚꽃이 비가 오고 바람이 부니까 꽃잎이 비 오듯 떨어
지는 거야. 그런 걸 꽃비라고 한단다. 우리 지민이가 알기에는
너무 어렵나?"

지민이가 알든 모르든 내 얘기는 이어져 간다.

뱃속에 있을 때 태교로 동화책을 읽어주는데 세상에 나왔으
니까 여러 가지 얘기를 들려주는 건 이상한 일이 아니라는 생
각이다. 그리고 나도 말동무가 있는 것 같아 참 좋다.

지민이에게는 노래도 많이 들려준다. 처음에는 노래에 맞춰
흔들흔들 그러다가 이리 뛰고 저리 뛰고 지민이를 안고 한바
탕 신나게 춤추듯 뛴다.

할머니랑 갓난 손자와 함께 하는 신나는 음악 감상과 함께
춤놀이 시간이다.

갓난 아이 때부터 할머니의 일상적인 이야기와 더불어 책을
읽고 또 읽어 준다. 어린 지민이는 조용히 그림책을 꽤 오래
응시하며 좋아하는 기색이 역력하다.

기어 다니기 시작해서는, 아침에 일어나면 거실로 기어 나와
책꽂이에서 혼자 책을 꺼내 보곤 했다.

나와 지민이는 좋아하는 책 두어 권을 유모차에 싣고 가까운 공원 산책을 나간다. 강아지랑 까치랑 비둘기, 작은 개미들, 연못의 잉어 떼 그리고 제때 피어나는 꽃이 있는 공원으로 간다.

　노오란 금계화가 제일 먼저 우리를 반긴다.

　꽃구경하러 공원은 물론 동네 꽃길도 유모차를 끌고 누비고 다녔다. 꽃구경을 실컷 하고 나서는 우리 둘이는 쉼터를 찾아 가지고 온 그림책을 읽곤 한다.

　그리고 공원에 있는 도서관에 걷지도 못하는 아이를 데리고 들락거렸다. 도서관에 있는 책을 좋아하기보다는 사서분들이 반겨주고 도서관 환경이 새로워서 그런지 도서관을 기억하고 그냥 못 지나치게 보채서 자주 들른다.

　나는 어린 지민이에게 무엇이든지 체험하고 경험해주려고 한다. 자연스레 오감을 느끼게 해주고 싶다. 감성이 풍부한 행복한 아이로 자라게 하고 싶다.

　지민이를 품에 안고 다니면서 햇빛, 바람, 새소리, 꽃향기, 풀냄새, 여러 가지 꽃 등 가까운 자연에서 얻을 수 있는 것으로 나랑 같이 느껴본다.

　노오란 민들레꽃도 찾아보고 하얀 민들레 홀씨도 찾아 불어 날려 보낸다. 또 도토리도 주워 오고, 낙엽 주워 날리기, 작은 돌멩이 던져보기……

　봄, 여름, 가을, 겨울, 지민이랑 함께하며 행복한 할머니다.

어느덧 동생 지안이도 태어났다.

"지민아, 아가 지안이는 어디서 나왔지?"

"동생 지안이는 으가가가 서새미 엄마 뱃속에서 쏙 꺼내줬어!"

의사 선생님이 쏙 꺼내 줬단다.

지민이는 발음이 안 돼도 연결된 문장에서 한 낱말도 빼놓지 않고 기억하면서 말한다.

가끔 지민이는 우리집 현관을 들어서면서 쫑알거린다.

"하바지! 고꼬가 사준 지민이 신에서 불빛이 반짝반짝 빛이 나요."

고모가 고꼬다.

"허허! 우리 지민이 시인 같네. 정말 고모가 사준 신에서 불빛이 반짝거리는구나."

말수 적고 무표정한 할아버지도 지민이만 보면 웃는 얼굴로 변신하는 손주 바보다.

할아버지 버전으로 동화책을 읽어주면 지민이가 좋아하는데, 하도 많이 읽어달라니까 책을 들고 오면 아예 도망을 다닌다.

지민이랑 같이 운동도 따라하고 그리고는 지민이 장난감 사나르는, 노년에 생긴 취미로 서울 동대문이며 동네 완구점에 단골손님이다.

좀 늦은 나이에 결혼한 아들이다.

"엄마, 애기 낳으면 키워주실 거지요?"

"당근이지. 셋도 낳아라, 엄마가 셋도 잘 키워줄 테니."

자신만만하게 응대했다. 기왕 키워줄 거면 '마지못해형'이 아니라 '당근형'으로 기쁘게 받아들여 키워주려고 큰 소리쳤다.

지금 어려운 고비 넘기고 잘 키우고 있다.

손자 지민의 양육자는 물론 우리 며느리다.

아이는 엄마랑 많은 시간을 갖는 게 가장 바른 육아법이라 생각한다. 그래서 직장의 일 말고는 지민이랑 함께 하는 시간을 많이 갖도록 조언한다.

며느리는 초등학교 교사다. 우리 둘이는 잘 통한다.

할머니인 나는 누가 뭐래도 부 양육자일 뿐이다.

나는 지금 최고의 베이비시터로 자긍심을 갖고 내 직업에 충실한다.

"아들 그리고 며늘아. 니네 아들 지민이, 이만하면 최상으로 키우고 있는 거 맞지? 우리 지민이. 행복한 사람으로 자라도록 도와주는 것이 하니의 목표야. 지민이 땜에 하니도 하바지도 행복하단다. 행복하기는 하지만, 아이 보기 힘들다는 거 너희들 알고는 있지? 그러나 하나 더 낳아도 돼. 셋도 길러준다고 큰 소리했으니까 잘 길러줄게. 지민아, 지안아. 그리고 너희 부부 모두 사랑한다!"

시간의 여정(53×46㎝) 유화 캔버스 2018

제4부

꿈과
희망을

선생님 집에서 하는 학예회

손을 번쩍 든 원은화.

"은화야, 왜?"

"선생님, 2학년 때는 공부 꼴등하던 원은화가 3학년이 돼서 지금은 일 등하는 원은화가 됐어요. 공부가 재미있어요."

아이들은 은화가 일등이라는 말에 까르륵 웃지만 비웃는 웃음은 아닌 듯했다.

공부 서열을 굳이 따지자면 은화는 지금도 하위권이다. 그러나 본인이 생각하기에 공부가 재미있고 전보다 잘하는 걸 느껴 일등이라면 일등인 것이다.

"은화 정말 장하다. 그래, 은화가 일등 될 거야. 그까짓 거 일등 해버리지 뭐!"

이렇게 은화뿐만 아니라 우리 아이들 모두가 자기가 일등인 양 즐겁고 신나게 학교생활을 한다.

아침에 등교하자마자 노래 부르고 춤추고 한바탕 신바람 나게 노는 것이 우리 반의 아침 자습 풍경이다. 난리도 아니다.

그러니 오기 싫던 학교가 오고 싶어지고, 꼴등이라는 낙인이 찍힌 아이가 룰라춤을 추니 다른 아이들은 그걸 따라하며 즐거워하고……

학교 오는 게 즐거워지고 친구들과 사이가 좋아지니 공부는 자연적으로 잘하게 된다. 이것이 바로 내가 하는 열린수업인 것이었다. 교과서에 나오는 '외다리 거위' 연극은 물론 다양한 방법으로 학습이 전개되어 옆 반으로 원정 공연도 다녔다.

아이들이 즐거워하며 모두가 자기의 특성을 살려내는 신바람 나는 학교생활인 것이다. 놀기만 하는 것 같은 우리 반 아이들이 3학년 일제고사에서 당당히 일등을 하게 되었다. 그 시절에는 일제고사가 있던 때이다.

"얘들아, 우리 반 모두 정말 장하다. 일등을 했으니 선생님이 선물을 주고 싶은데 원하는 것 있니?"

"네, 있어요. 선생님 집에 놀러 가고 싶어요."

누군가가 한 이 말에 아이들은 다 같이 소리 지르며 떠들어댔다.

"선생님 집! 선생님 집!"

합창을 하며 난리가 났다. 폭동이 난 듯하다.

"그래, 그~~럼 방학에 선생님 집에 초대할 게."

아이들은 손뼉을 치며 발을 구르며 그야말로 흥분의 도가니였다.

나도 어렸을 적 시골 학교 다닐 때, 담임 선생님 집에 가고 싶어서 친구 몇 명하고 갔던 기억이 새롭다.

　"얘들아, 잘 들어봐. 우리집에 초대는 하는데 날짜는 정하지 않을 거야. 어느 날 3학년 4반 친구들! 오늘 우리집에 놀러와. 그러면 귀를 쫑긋 하고 있다가 듣고 오는 거야."

　"선생님, 그게 말이 되요? 어떻게 들을 수 있어요. 우리 못 오게 하려는 거죠?"

　아이들이 거세게 몰아붙이며 난리법석이다.

　"그래, 그러면 방학 안내장에 써줄게. 그 대신 몇 가지 지켜야 하는 약속이 있어."

　"뭔데요?"

　"40명이 넘는 너희들이 한꺼번에 오니까 뛰면 안 되잖아, 그래서 앉아 다니기. 또 소파에는 앉지 않기. 너희들이 마구 앉으면 우리집 소파 부서질 거야. 오래된 거라서 언제 망가질지 모르거든. 그러면 너희들이 사줄 수 있어?"

　사실 초대한다고는 했으나 걱정이 이만저만이 아니었다.

　"얘들아, 우리집에 와서 무얼 할까? 선생님 집만 보고 갈 거니? 그래서 선생님 생각을 말해볼게. 맛있는 것도 먹고, 너희들 잘하는 거 많잖아. 장기 자랑도 하고 즉석 연극도 하고 또 그동안 배운 리코더 합주도 했으면 좋겠는데, 너희들 생각은 어때?"

　"네, 좋아요! 재밌겠다."

"너희들 올 때 리코더 잊지 마. 준비물이다."

나는 신나게 놀면서 일등한 선물로 내가 사는 것이 궁금한 우리 아이들에게 그해 겨울방학에 49명을 초대했다. 그날 특별한 사정으로 9명은 못 오고 40명이 왔다.

이 사실을 알고 음식점을 하는 근한이 엄마가 연락이 왔다.

"음식은 제가 보낼게요. 그리고 간식도요."

"근한이 엄마, 고맙습니다마는 내가 우리 아이들을 초대했는데 내가 만들어 줘야지요."

엄마들이 보낸다는 것을 절대 사절했다. 그리고 혼자서 김밥을 산더미 같이 싸놓고 떡볶이를 들통 한 가득과 과자랑 음료수를 준비했다.

아이들은 엄마 아빠가 데려다 주었다. 마침 승합차를 갖고 있는 분이 몇 차례 이동을 도와주셨다. 걱정했던 부분이 해결되었다. 참으로 감사한 일이다.

우리집에 도착한 아이들은 정말 좋아했다.

우선 아이들이 좋아하는 김밥에다 떡볶이랑 과자와 음료수를 배불리 먹게 하였다.

'금강산도 식후경'이라고 배불리 먹게 한 것이다. 선생님 집에 온다고 설레어서 아침밥이나 제대로 먹었겠나.

"선생님, 김밥도 맛있지만 이렇게 맛있는 떡볶이는 세상에 없을 거예요. 소스 만드는 법 가르쳐 주세요. 엄마한테 만들어 달라고 하게요."

재경이가 고마웠던지 맛있다는 표현을 이렇게 해줘서 나 또한 고마웠다.

"맛있어? 세상에서 제일 맛있다니 선생님 기분 너무 좋은데? 특별한 소스 만드는 비법이 있는 게 아니고, 너희들을 사랑하는 맘과 정성이 들어가서 그럴 거야. 재경아, 고맙다."

소파에 누워 소스 만드는 법을 물어 보던 재경이가 뜬금없이 말을 걸어온다.

"근데 선생님은 왜 살이 안 쪄요?"

"그러게, 왜 살이 안찔까? 선생님은 조금 더 찌고 싶은데."

재경이가 눈을 반짝인다.

"선생님, 그건 제가 가르쳐 드릴게요. 우선 밥을 배불리 먹은 다음, 식빵 앞뒤로 쨈을 많이 발라 이렇게 소파에 누워서 두 개 정도 더 먹으면 저 같이 살쪄요. 선생님도 그렇게 해 보세요? 틀림없이 살쪄요. 우리 엄마가 그래서 저 살찐다고 항상 구박해요."

나는 재경이의 천진한 그 말에 까르륵 웃었다. 지금도 난 조금만 더 살 쪘으면 하는데 그 방법을 써 볼까?

"애들아, 이제 장기 자랑할 시간이다."

나는 즉석에서 5모둠으로 편성해주고 모둠의 장소 공간을 따로 마련해 주었다. 안방, 작은방, 거실 등 서로 막힌 공간을 만들어 준 것이다.

"애들아, 연습시간은 30분이야. 그리고 연극은 꼭 들어가야 해. 동화 내용도 좋고 재미있는 개그도 좋고 너희들 맘껏 하는 거야. 모둠에서 한 사람도 안 하는 사람 있으면 그 모둠은 탈락인 거 알지?"

"네, 알아요."

아이들은 분주해졌다. 대본을 짠다고 머리를 맞대고 모둠에서 발표할 종목을 의논하느라……

나는 이런 아이들의 모습을 즐긴다. 너무나 대견하고 기특해서.

"얘들아, 준비 다 됐니?"

"아뇨, 10분만 더 주세요."

"그냥 된 대로 해도 괜찮아. 그런 게 더 재미있잖아, 미완성."

모둠에서 정한 종목을 모아 프로그램을 만들고 학교가 아닌 '선생님 집에서 하는 학예회'가 열렸다.

처음과 끝은 리코더 연주였고, 30분 동안에 만든 연극은 기막히게 재미있었다. 어디서 그런 소재를 생각해 내고 그 짧은 시간에 해내는지 나도 어안이 벙벙했다. 춤도 추고 독창도 하고, 평소 아침에 학교 와서 춤추고 노래하며 신바람 나게 논 결과물인가?

혼자 보기에 너무나 아까웠다. 엄마들에게 보여주고 싶었지만 어쩔 도리가 없었다. 핸드폰으로 동영상을 찍는 시절도 아니었고.

'아이들의 창의성과 잠재되어 있는 재능은 어디까지일까?'

정말 무궁무진하다. 그런 걸 살려 주는 게 교사다. 너무나 예쁜 우리 아이들.

어느덧 실컷 놀고 갈 시간이 되어 승합차가 다시 왔으나 아이들은 안 가겠다고 막무가내였다.

"애들아, 너희들 가야 해. 다음에 또 재미있게 놀자. 응!"

겨우겨우 달래서 보냈는데 여자아이 열 명 정도는 끝까지 떼를 써, 안 가고 자고 가기로 하였다.

끼리끼리 아지트를 만들고 낄낄거리고 무슨 비밀이야기를 나누고 히히덕거렸다. 정말 지네들 천국이었다. 얼마나 재미있었을까?

숙영이가 나를 부른다.

"선생님, 여기 선생님 화장품 있는데 우리 화장해봐도 돼요? 선생님, 해보고 싶어요."

"에그그. 화장도 해보고 싶어? 해보고 싶으면 해봐라. 실컷 해봐라."

"와! 신난다. 선생님 고맙습니다."

"다하고 잘 때는 말끔히 지우는 거야. 잘 지워."

아이들은 밤늦도록 히히 깔깔, 소곤소곤 또 히히 깔깔. 재미있게 놀고 아침까지 먹고야 갔다. 얼마나 재미있었을까?

지금은 모두가 가정을 꾸리고 살 텐데 보고 싶다.

'TV는 사랑을 싣고'에서 꼭 선생님을 찾아뵙는다고 했던 녀석들. 얼마나 재미있었냐고 묻고 싶다.

"애들아, 보고 싶다. 그리고 그때 정말 재미있었지?"

우리 아이들이 옆 반으로 원정 가서 연극, 룰라춤 등을 공연하게 해주시고 예쁘게 봐 주시며 칭찬해 주셨던, 옆 반 임세자 선배 선생님의, 교총 신문에 기고한 글을 옮긴다.

김용숙 선생님을 보며

출근해 썰렁한 교실에서 책상 위를 슬슬 문지르며 앉아있노라면 앞문이 배시시 열린다.

"안녕하세요? 용숙이 아침 인사드리러 왔어요."

낭낭한 목소리로 상큼한 아침을 전해준다. 저 아래로 가라앉았던 기분이 피어나기라도 하듯 금방 달라진다. 늙기도 했지만 이렇게 후한 선배 대접 받기는 처음인 것 같다.

인사성이 바르고 선후배를 깍듯이 챙기는 김 선생은 여러 사람에게 청량제 역할을 한다. 항상 타인의 입장에서 한 번 더 판단해서 정확하게 잘잘못을 꼬집어낸다.

특히 어린이들에게 베푸는 따뜻한 미소와 태평양 같은 너그러움은 속이 뒤틀리기까지 하다.

지난겨울방학 때는 40명이 넘는 반 아이들을 이유 없이 초대하여 집에서 잔치를 베풀었단다. 그리고도 모자라 10명은 자고 갔다고 하니 나에겐 놀라운 일이다. 잠시 어린이들의 천국을 열어준 셈이다. 얼마나 좋았을까?

교실에서 수업을 할 때도 마찬가지다. 딱딱한 목적과 내용 파악에 앞서 아이들이 가장 좋아하는 풍성한 사랑 속에서 자유스러우면서도 질서 있는 일과를 보낸다. 각본에 없는 지극히 자연스러운 열린교육을 펼치는 것이다.

자기들끼리 진지한 토의를 거쳐 야무지게 발표하고 열과 성의를 다해 연극도 한다. 멋지게 룰라춤을 추는 아이들의 모습은 정말 진지하고 신난다.

가끔 옆 반으로 출장 공연도 하기 때문에 흉내도 내보지만 어림도 없다.

자연스럽게 새로운 일을 찾으려는 어린이들의 의욕은 날로 향상되고 한 사람도 빠짐없이 참여하는 어린이들의 얼굴에 행복이 가득하다. 모두 김 선생의 몸에 밴 산교육에서 비롯된 것이다.

어린이 마음속에 푹 빠지지 않은 한 아무리 급한 과제라도 힘들지 않겠는가?

— **문남초등학교 교사 임세자**

숨겨진 보물찾기

♪ ♬ 세상이 이렇게 밝은 것은
즐거운 노래로 가득 찬 것은

집집마다 어린 해가 자라고 있어서다
그 해가 노래이기 때문이다

어른들은 모를 거야
아이들이 해인 것을

하지만 금방이라도
알 수 있지 알 수 있어

아이들이 잠시 없다면
아이들이 잠시 없다면

나나나 나나나나
낮도 밤인 것을

노랫소리 들리지
않는 것을 않는 것을 ♪ ♫

다른 반도 비슷하지만 우리 반 아이들도 이런 밝고 고운 노래를 공부 시작 전에 부르곤 했다.

나는 앞에서도 밝혔지만 노래를 못한다. 그러나 아이들이 부르는 이런 노래를 정말 좋아하고 사랑한다. 곡은 말할 것도 없고 노랫말이 너무나 아름답다.

"얘들아, 우리 음악제에 한 번 나가 볼까?"

또 일을 만들었다. 피아노도 제대로 못 치면서, 아이들이 부르는 노래만 마냥 좋아서……

"나가고 싶은 친구는 나한테 신청해."

어떤 것이든 하고 싶은 아이들이 해야 즐겁게 열심히 한다.

"선생님이 뽑지 않고 나가고 싶으면 신청하는 거예요?"

"그렇다니까."

그렇게 자유의지로 신청한 친구들이 10여 명 가까이 되었다.

"노래 잘하는 순서로 뽑지는 않는데 학교에서 연습을 같이 해야 해. 학원 때문에 연습할 시간이 안 되면 그건 못하는 거니까 엄마하고 의논하고 내일까지 신청해."

"저 할 수 있어요. 학원시간 조정하면 되요. 저부터 신청할 거예요."

"아니야, 내일 하루만 신청받을 거니까 엄마랑 의논하고 결정해."

노래를 잘하거나 좋아하는 아이들이 야단법석이다.

어떻게 지도해서 음악제에 데리고 갈 구체적인 안도 없이 노래하는 아이들이 예뻐서 그냥 나가자고 했다.

다음날 엄마 동의 하에 모인 친구가 8명이다.

우선 동요 '아이들은'이 수록된 '정윤환 동요 작곡집'을 구입했다. CD도 첨부되어 있어서 매일 노래 연습을 2~30분씩 했다. 피아노 잘 치는 친구가 피아노 반주를 하고 모아진 친구들은 노래를 불렀다.

그런데 문제는 책에 수록된 것은 단음으로만 되어 있었다. 명색이 음악제에 나가는데 2부 합창은 해야 할 것 같았다.

"어찌할까? 어찌하지?"

엄마들과 의논하였지만 별 뾰족한 수가 없었다. 그러다 생각난 것이 '작곡가 정윤환 선생님께 부탁할 방법은 없을까?'

생각이 여기까지 미치자 작곡가의 전화번호를 알아야 할 것 같았다. 책 여기저기를 살펴봐도 전화번호는 없었다. 겨우 출판사에 전화를 해서 알아냈다. 정윤환 선생님께 전화를 드리고 우리 사정 얘기를 했다.

"초등학교 3학년을 맡고 있는 교사입니다. 음악적인 재능이 없는데 아이들이 노래하는 것이 너무 좋아 교육청에서 주관하는 음악제에 나가려고 합니다. 2부 합창곡이 필요해서 전화드렸습니다. 가능할까요?"

"네, 가능합니다. 선생님, 정말 감사합니다. 동요를 사랑하고 아이들을 사랑하는 마음이 와닿네요. 편곡해서 바로 등기로 보내드리겠습니다."

역시 아이들을 사랑하는 동요 작곡가답다. 간절한 마음으로 알아봤지만 이렇게 쉽게 그리고 고맙게 해결될 줄이야……

용기를 내서 알아보기를 정말 잘했다고, 나 자신을 도닥이며 편곡이 오기를 기다렸는데 그 다음날 바로 보내왔다.

그분께 감사하는 마음과 함께, 아이들과 연습을 많이 했다. 우리 아이들 노랫소리는 정말 아름다웠다. 그리고 스스로 선택했기에 즐거이 노래를 불렀다.

드디어 음악제에 참석하기 위해 교장 선생님께 아이들을 데리고 교장실을 방문했다.

교장 선생님은 아이들의 노래를 직접 들어보고 싶다고 하셔서 그 자리에 서서 불렀다.

교장 선생님께서는 맛있는 점심을 사 먹으라고 점심값까지 주셨다.

"언제부터 연습했는데 이렇게 곱게 잘 부를 수 있니? 너희들 차암 예쁘고 훌륭하구나. 나도 그 자리에 갈 테니까 최선을 다해요."

교장 선생님 칭찬에 아이들은 더 신났다.

"소리 소문 없이 언제 연습하셔서 아이들의 소리가 이렇게 한 소리로 예쁘게 모아졌나요? 미소 지으며 부르는 모습, 자연스레 율동하는 모습. 선생님, 정말 대단합니다. 수고 많이 하셨네요."

교장 선생님은 칭찬과 격려를 아끼지 않았다. 그분은 음악에 조예가 깊을 뿐만 아니라 어느 단체 합창단원으로 활동하고 계셨다.

그날 무대에 올라간 아이들은 활짝 미소를 지으며 연습 때보다 더 잘 불렀다. 이렇게 시작한 아이들과의 음악제 참가는 이 학교를 떠나 다른 학교에서도 매년하게 되었다.

다른 아이들을 하교시킨 후 잠깐이지만 아이들의 곱고 고운 노랫소리가 교정에 은은히 울려 퍼졌다.

업무에 바쁜 교무부장 선생님도 잠시 들러 아이들의 노래를 듣고 격려와 칭찬을 해주고 마음의 쉼을 얻고 갔다.

아침 자습 시간을 이용해서 연습하거나 하교할 때 모여 연습한다. 매일 조금씩. 음악에 조예가 깊은 엄마가 도와주면 그에 따라 연습하기도 하고……

음악적인 소질이 없는 내가 아이들 덕분에 우리 구청과 교육청에서 하는 음악제에 많이도 참석했다. 대부분 축제지만 가끔 구청에서 주관할 때는 대회라서 상도 준다. 그럴 때는 대상까지도 받았다. 그러나 나는 상을 주는 대회는 별로다. 아이들과 엄마들이 상에 너무 집착하게 되는 것 같았다.

선배 선생님 부탁으로 '초등학생 전통음악 한국무용 발표회'때 사회자를 훈련시켜 사회를 보게 하였다. 그때 많은 호응을 받아 여러 차례 사회자 지도도 해주었다.

내가 지도한 아이들이 사회 보는 모습을 볼라치면 방송국 아나운서보다도 더 멋져 보이기까지 하며 대견스러웠다.

지금 생각해도 가슴이 뿌듯하다. 우리 아이들만 믿고 같이 한 일들이다. 아이들에게 숨겨져 있는 보물을, 교사인 나는 캐내주는 역할을 한 것뿐이다.

'아이들의 재능은 어디까지일까?'

우리 아이들 모두 하나 되게 하는 활력소

우리 아이들 모두를 하나 되게 하고 자신감을 갖게 하는 것 중의 하나가 연극이다.

자칫 학교에서의 연극은 공부를 잘하거나 그쪽에 소질이 있는 아이들의 전유물로 생각하기 쉽다. 그러나 차근차근 단계별로 훈련을 하게 되면 아이들에게 잠재되어 있던 능력이 밖으로 터져 나온다. 개인차가 있긴 하지만 모두가 잘한다.

모두가 잘해야 우리 반 전원 연극에 참여할 수 있다. 그래야 우리 아이들 모두가 공감하고 신나하고 행복해한다.

내가 우리 아이들 연극 훈련시킨 방법을 소개한다.

1단계 호흡법(복식 호흡)

우리 반은 매일 1~2분간 큰 소리로 책을 읽는 훈련이 돼서 대부분 목소리는 크다. '발표 잘하기' 훈련이었다.

연극에 들어가기 전 목소리를 더 키운다.

"애들아, 먼저 숨쉬기 운동을 해보자. 숨을 코로 들이마셔서 배를 볼록하게 한 다음 입으로 후우~하고 길게 내쉬는 거야."

아이들은 낄낄 대며 따라한다.

"어머! 잘하네. 이렇게 숨 쉬는 것을 복식 호흡이라고 하는데, 연극을 하는 사람과 성악을 하는 사람들은 이 복식 호흡을 꼭 배워. 그래야 높은음, 낮은음, 큰 소리, 작은 소리를 잘 낸단다. 우리도 연극을 하려면 목소리를 잘 내야 하니까 복식 호흡을 배우는 거야."

아이들은 제법 신중히 따라한다.

2단계 소리내기(발성)

"애들아, 입을 동그랗게 크게 벌리고 선생님 따라 아~~ 잘 했어요. 누가 가장 오래 내나 해보자. 시~작. 아~~"

아이들은 신났다.

큰 소리, 작은 소리, 높은 소리, 낮은 소리를 다양하게 연습한다.

큰 소리는 두 손을 벌리면서, 작은 소리는 두 손을 조금씩 가까이 하면서, 높은 소리는 손들고 일어나면서 책상 위로 올라도 가고, 낮은 소리는 점점 아래로, 교실 바닥으로 내려오고 아예 눕기도 한다.

한바탕 소리를 지르며 웃고 떠들고 그러다가는 조용히 신중하게 소리 낸다.

3단계 대본 읽어보기

대본을 아이들 앉은 차례대로 여러 번 반복해서 읽어본다. 나도 그 속에 끼어 읽는다. 계속 읽다 보면 본인에게 어울리는 배역을 찾을 수 있다. 다른 아이들도 같이 읽었기 때문에 누가 어느 배역에 어울리는지도 잘 안다.

4단계 배역 정하기

대본을 여러 번 읽어 보았기 때문에 본인에 맞는 배역을 고를 수 있다. 같은 배역이 많이 나올 경우는 가위 바위 보를 해서 정하거나 양보하도록 권유한다.

이렇게 정해야 배역에 대한 불만이 없이, 연극활동을 모두가 관심을 갖고 열심히 한다.

5단계 맡은 배역 대사 외우기

대사 외우기는 가급적 집에서 숙제로 해온다.

외운 대사를 자리에 앉아서 대사만 연습한다.

6단계 맡은 배역 대사와 함께 몸짓하기

충분히 대사를 외운 후에 모둠별로 모여서 몸짓까지 하면서 연극을 연습한다. 객석을 바라보고, 눈 마주치며 객석에게 말하듯 천천히 하는 연습이 가장 중요하다.

모둠 연습이 다 되면 전체적으로 연극을 맞춰 본다.

이렇게 연습하면 모두가 다 참여하며 다른 아이들 대사까지 다 외운다. 모두가 즐거워한다.

1학년 '흥부와 놀부'

2학년 '호랑이와 팥죽할멈'

3학년 '토끼의 재판'

국어 교과서에 나온 연극이다.

아이들의 잠재력과 재능은 캐내도, 캐내도 끝이 없다.

2학년 '호랑이와 팥죽할멈'을 할 때다. 할멈을 맡은 권나현이 어찌나 서글피 눈물을 흘리며 꺼억꺼억 우는지, 처음에는 우리 아이들이 배를 쥐고 웃다가 모두가 나현이 따라 엉엉 울음바다였다.

3학년 '토끼의 재판'을 할 때는 소품과 배경을 '우드 보드' 와 커다란 상자를 이용하여 아이들과 같이 만들어 사용했다.

토끼의 익살스럽게 꾀를 내는 내면연기도 우리 아이들은 기성 연극배우 못지않게 잘해냈다. 옆 반으로, 다른 학년으로 초청공연까지 다니며 했다.

1학년 '흥부와 놀부'는 장면별로 인물이 달라지게 하여 30명이 넘는 인원수가 총 출연할 수 있는 연극이다. 배역을 증감하면 반 전원이 할 수 있다.

어느 해 '흥부와 놀부' 연극지도를 주제로, 우리 교실이 아닌 다목적 교실에서 2시간 동안 관내시범수업도 했다.

수업에 참관하러 오시는 선생님들이 '무슨 연극 수업이야?

그야말로 연습 많이 해서 공연처럼 보여 주는 것 아냐?' 이런 생각으로 왔다가 우리 아이들 수업을 보고는 많은 것을 배워 간다고 좋은 평을 해 주었다.

지금은 그 단원이 없어진 것 같아 아쉽다.

정년퇴임 후 기간제 교사로 근무할 때의 일이다.

학예회가 있었는데 학부모님들이 교장 선생님을 찾아가 우리 반은 정식 담임이 없으니 학예회 안 해도 된다고 말씀드렸다는 소식을 듣게 됐다.

담임도 힘들어하는 학예회를 기간제 교사에게, 너무 무리라는 생각이 들어 미리 배려했던 것 같다.

반 학부모위원들과 모임을 가졌다.

"감사합니다. 나는 임시 담임이지만 학예회할 수 있어요. 우리 아이들이 얼마나 섭섭하겠어요. 잘할 수 있습니다."

엄마들은 괜히 민망해했다. 나이도 많은 기간제 교사에게 맡기기가 약간은 마음이 쓰였나보다.

"교장 선생님께 말씀드렸더니 '그분 학예회 꼭 하실 분입니다. 지켜보시고 도와드릴 일이 있으면 도와드리세요'라고 말씀하셨어요. 그러나 저희가 죄송해서 그랬지요."

학예회는 당연히 하는 것이었다.

먼저 아이들이 잘하고 있는 것을 신청받고, 출연 종목을 선정하고 거기에 우리 아이들 전원 출연시키는 '흥부와 놀부' 연극을 포함한 프로그램을 짰다.

사회자도 연습시키고 연극도 연습시켰다.

학예회는 성공리에 마쳤다.

우리 아이들과 부모님들도 대만족이었다.

왕따를 당하던 아이도 연극을 통해 아이들과 소통하고 친해질 수 있었다. 그 엄마 역시 너무나 고마워했다.

반 대표이며 그 반의 반장 엄마는 나의 손을 잡으며 연신 고개를 숙였다.

"선생님, 우리 아이가 연극을 잘할 수 있으리라고는 상상도 못했어요. 새로운 것을 발견했어요. 연극 연습하는 내내 너무나 행복해했습니다. 정말 감사합니다."

"선생님, 우리 현성이는 선생님을 만나서 학교라는 데가 이렇게 재미있다는 걸 알게 되었다면서, 공부의 중요성도 이제야 알았다네요. 바이올린은 억지로 배워 연주한 것이지만 오늘 놀부역은 우리 현성이를 위한 것이었나 봐요."

임원분들이 작은 선물과 함께 전달한 짧은 감사의 편지도 보내왔다.

임시 담임이지만 '연극하기를 잘했구나. 우리 아이들 재능을 캐내고, 우리 아이들 모두를 하나 되게 하는……'

그리고 그분들이 고맙다.

고마운 김용숙 선생님께

철부지들과 함께 애써 주신 시간이 어느새 이렇게 훌쩍 지나가 버렸습니다.

선생님께서 갖고 계신 연륜과 애정 그리고 열정으로, 귀한 시간들이 알차게 채워졌습니다. 우리 아이들 너무나 행복한 시간이었습니다.

감사하고 또 감사하단 말씀 전해드리고 싶습니다.

선생님의 사랑을 늘 기억하겠습니다.

고맙습니다, 선생님……

― **임원 맘 올림**

그들의 눈물

내가 전근 간 학교에서 '사할린동포 복지회관'의 어르신들과 엄마랑 자녀가 함께하는 1:1 가족 자매결연을 맺고, 매월 사랑나눔을 실천하고 있었다.

어느 날 교장 선생님이 나를 불렀다.

"부장님, '사할린동포위문공연단' 단장을 맡아 위문공연을 다채롭게 해주시면 좋겠습니다. 한 번 해보시지요."

"교장 선생님, 그건 윤리부 소관이라 윤리부장님이 단장이어야 하잖아요? 지금 그렇게 잘하고 있는 거 아닌가요? 1학년 부장인 제가 하기에는……"

나는 좀 껄끄러운 생각이 들었다. 그리고 녹록지 않은 일이라서……

"네, 그래도 선배 부장이고, 윤리부장이 선생님이 같이 해주시면 많은 힘이 될 겁니다. 부탁할게요."

"네, 알겠습니다. 윤리부장과 협의해서 좋은 프로그램으로 위문활동해보겠습니다."

나는 처음에는 망설였지만 교장 선생님 부탁 말씀이고, 이런 위문 공연으로 아이들 특기와 재능을 발휘시킬 좋은 기회가 될 것 같아 단장을 맡기로 한 것이다. 마음을 정하니 우리 아이들에게도 어르신들에게도 좋은 일이라 생각되어 힘이 생겼다.

1학년인 우리 반 아이들이 주축이 되었다, 음악제에 참가했던 아이들과 전통음악회에 나갔던 아이들, 교육활동에서 한 연극, 고전무용, 스포츠 댄스, 악기 연주에 특기가 있는 아이들을 찾아내 다양하게 프로그램을 구성하였다.

가족봉사단 30여 팀과 1, 2, 3학년 공연팀 60여 명. 100명이 넘는 위문단이 구성되어 다채롭게 위문활동을 전개했다.

1학년 꼬맹이들이 사회를 보니까 어르신들이 더 좋아 하셨다. 더듬거리며 하는 멘트에 깔깔 웃으시며 큰 박수를 쳐주셨다.

나는 지도하느라 조금 힘들었지만, 이번 일로 자신감도 생길 테고, 그 자신감으로 학교생활이 즐겁기를 바라는 마음에서 선택하였던 것이다.

끝으로 바이올린 연주자로 활동하는 조화현 선생님, 우리 반 엄마의 바이올린 연주에 이어 '아리랑과 고향의 봄'을 어르신들과 함께 불렀다.

♬♪♪ 아~리랑 아~리랑 아~라~리~요~ ♬♪♪

♬♪♪ 나의 살던 고향은 꽃피는 산~~골~~~~♬♪♪

어르신들은 노래를 부르며 더덩실 더덩실 춤도 추셨다. 거동이 불편한 어르신들은 휠체어에 몸을 맡기신 채, 눈물을 흘리면서도 한없이 즐거워하셨다.

'사할린동포 복지관' 관장님께서 우리 교장 선생님께 진심으로 감사해 하셨다.

"이렇게 다채로운 공연까지 하면서 위문해 주는 곳은 한 곳도 없습니다. 형식적인 위문이 많지요. 정말 감사합니다. 아이들 지도해주신 선생님들께도 감사드립니다. 수고 많이 하셨습니다."

기호일보에 이 활동을 취재해 신문에 실었다.

그 후로도 1년에 한 번씩 위문공연은 계속 이어갔다.

나라 잃은 탓으로 떠밀리어 이역만리 남의 땅에서 한평생 말할 수 없는 고된 삶, 그리고 조국과 고향이 얼마나 그리웠겠으며 그 큰 설움과 한을 어찌 다 말로 표현하실 수 있으랴!

우리 아이들의 위문공연 내내 웃어 주시고, 손뼉을 쳐주시며 눈물 흘리시던 그 어르신들의 마음이……

지금도 내 가슴 한편으로 짜릿하게 밀려온다.

'알뜰시장' 일석삼조

"싸구려~! 싸구려~! 골라! 골라!"

손뼉을 치며 발을 구르고 물건을 파는 1학년 꼬맹이들의 모습과 소리라고는 믿기지 않는 알뜰시장 막판의 한 모습이다.

한 모둠에서 이런 행동이 나오면 여기저기서 경쟁을 하듯 소리들이 더 커진다. 도떼기시장이 따로 없다.

전혀 상상도 못했던 아이가 신바람 나서 물건을 끝까지 파는 것을 보면서 '아~ 이런 활동을 통해서 공부하고는 상관없이 거상이나 대 기업가가 될 재목이 나올 수도 있겠구나!' 라는 생각을 하게 된다.

우리 아이들의 숨어 있는 원석, 소질 계발이다.

학년교육과정안을 계획할 때부터 '알뜰시장'을 계획한다. 그리고 학부모 총회 때 미리 안내한다. 엄마들의 협조가 꼭 필요하기 때문이다.

알뜰시장을 열기 위한 안내 유인물이 나가면 안내된 대로 자기 집에서 안 쓰는 물건을 가져와, 일주일 정도 모둠별로 모은다.

미리 학부모 총회 때 안내되었고, 일주일 전에 자세한 안내 유인물이 나갔기 때문에 많은 물건을 보내준다.

학용품, 동화책, 장난감, 아이들 옷, 신발, 가방 등 아이들이 사용할 물건이 대부분이지만 의외로 비누, 치약, 칫솔 등 생필품도 보내온다.

알뜰시장을 벌인 후부터 매년하는 잔치다. 해가 갈수록 물품이 다양해진다.

토요일 수업이 있던 시절에는 토요일에 장을 열었다. 엄마, 아빠, 할머니까지 오셔서 구경도 하시고 물건도 많이 사가지고 가신다.

돈이 있어야 물건을 살 수 있기 때문에 아이들이 가지고 올 수 있는 돈의 액수를 정한다. 3천에서 5천 원까지다. 사실 이 돈이 모아져 불우이웃돕기를 하는 것이다.

"얘들아, 물건 많이 모았지? 내일 '알뜰시장' 열리는 날인 거 알지?"

"네, 선생님. 그런데 팔 물건 더 가져와도 되요?"

"그럼~ 내일하니까 더 가져와도 되지."

"내일 준비물 다시 설명할게, 알림장으로 나가지만 잘 들어요. 첫째, 물건을 살 수 있는 돈은 개인별로 5천 원까지. 둘째, 모둠에서 의논해서 돗자리 2개 가져오기. 셋째, 모둠에서 돈통

(금고) 1개 가져오기(화장지 상자 이용해도 좋음). 넷째, 엄마, 아빠, 할머니 등 가족 모시고 오는 것 대환영."

알뜰시장 당일에는 아침부터 분주하다. 모둠끼리 자기들이 가지고 온 것을 모으고 분류하여 가격표를 붙인다. 가격은 100원에서 500원까지, 특별한 것만 선생님과 의논하여 조금 높은 가격을 정한다.

아이들 지도를 하며 나도 사고 싶은 물건에 눈독을 들인다. 일종의 눈으로 찜한다.

교실에서 준비가 다되면 강당으로 이동하여 학급마다 정해진 장소에서 돗자리를 깔고 좌판을 벌인다.

시장은 두 편으로 나누어 '동편시장'과 '서편시장'으로 펼쳐진다.

동편시장과 서편시장 선생님 한 분씩 대표로 나와, 가위 바위 보로 어느 편이 손님이 되고 어느 편이 팔 것인지를 정한다 음 개장을 여는 징을 쳐준다.

이 활동에는 규칙이 있다.

이긴 편 시장 친구들이 물건을 사는 손님 활동을 하게 되는데 첫째, 처음에는 자기네 편 시장 물건은 그대로 놔두고 상대방 시장으로 가서 상대방 물건만 살 수 있다. 둘째, 징소리와 함께 물건 사기를 마치고 돌아와 가게 주인이 된다. 자기 상대편 아이들은 손님이 되어 물건을 사러 온다. 셋째, 징소리와 함께 물건 사기를 마치고 제자리로 와서는, 모둠끼리 의논하여 교대로 자기네 물건도 팔고, 자유롭게 사러 다니도록 자유시간을 준다. 넷째, 자유시간에 학부모님들도 물건을 살 수 있다. 아이들이 우선이다. 다섯째, 정해진 시간이 되면 폐장을 알리는 징소리에 맞춰 폐장을 한다. 여섯째, 각 반은 자기 교실로 가서 모둠별로 돈통의 돈을 센다. 그런 다음 반 전체의 액수를 확인하고 학년 전체의 돈과 미리 입구에 마련해놓은 성금함의 돈을 합하여 불우이웃돕기 성금으로 쓴다.

모아진 돈은 해마다 비슷한 금액으로 백오십만 원 이쪽저쪽이다. 아이들이 쓸 수 있는 돈이 5000원 미만으로 물건값이 워낙 싸기 때문이다.

우리 학년에서 가정 형편이 어려운 아이를 조심스레 찾아서 아이 엄마의 통장으로 입금하고, 입금한 후 알리는 형식으로 도와준다. 아이는 물론이고 엄마의 자존심이 상하지 않도록 주의한다.

그러나 마땅히 도움이 필요한 아이를 찾지 못했던 해가 있었다. 그때는 모 방송국 '사랑의 리퀘스트'에 기부하고 아이들과 학부모에게 시청하도록 한 적도 있다.

이 활동을 하면서 아이들을 자세히 관찰해보았다.

돈을 안 쓰는 구두쇠 절약형도 있고, 우선 자기가 좋아하는 물건을 재빠르게 사는 실속형, 무조건 파는 것을 좋아해서 끝에는 싸게라도 땡처리하는 기업가형, 영수증 끊어 주기와 장부정리를 좋아하는 사무직형, 정말 다양하다.

알뜰시장 활동이야말로 불우이웃돕기뿐만 아니라, 아이들의 개성과 잠재되어 있는 재능까지 알게 되는 일석삼조의 좋은 활동이다.

이 활동을 시작하고 난 후부터 정년퇴임할 때까지 10여 년 간 '알뜰시장'은 계속 이어서 했다.

계획서부터 '알뜰시장'을 열기까지 열정 없이는 할 수 없는 만만치 않은 교육활동이다.

어려서부터 경제 교육은 물론이고, 어려운 이웃을 돕는 마음, 친구들과 협동하는 마음까지 기를 수 있는 학부모와 아이들이 함께하는 '축제의 한마당'이다.

어느 할머니는 물건을 사시면서 즐거운 표정이다.

"애기들이 이렇게 재미있게 장사하네. 내가 산 물건 다해서 2천 원이라고 했지?"

"네, 할머니. 깎아드릴까요?"

"깎다니? 아니 아니다. 너희들이 예쁘고 물건값이 하도 싸서 돈을 더 얹어 주려고. 자~ 3천 원이다. 장사 잘해라."

"감사합니다, 할머니. 안녕히 가세요."

우리 아이들은 신바람이 나서 덩실덩실 춤까지 추면서 좋아한다.

손주 사랑하는 마음으로 칭찬과 격려에 웃돈까지 얹어 주시는 이런 분들이 몇 분 계신다.

학부모님들의 협조와 동학년 선생님들이 함께 하는, 열정이 있어야 할 수 있는 활동이라 그분들에게 감사하다.

　그 때의 모습이 영화 속의 한 장면처럼 스쳐간다.

내 인생을 바꾼 선생님의 말 한마디

백화점 식당가 어느 분식집.

빈자리 하나 없이 손님들로 꽉 차 있다. 기다리는 사람들까지 있어 혼잡하다. 장년의 어르신들이 대부분이다. 문화원에서 뭔가를 배우고 삼삼오오 짝을 지어 이용하는 시간대라 특히 손님이 많다.

나도 지인들과 그곳에서 점심을 먹고 있었다. 조금 떨어진 저쪽 끝 테이블에 눈길이 갔다. 여자 네 분이 담소를 나누며 식사를 하고 있었다. 어디선가 본 듯한 낯익은 얼굴이 보였다. '누굴까? 어디서 봤을까?'

식사하는 내내 궁금했다. 자리를 걷고 일어나면서 그냥 지나치면 안 될 것 같아 그분 앞으로 가서 말을 건넸다.

"저~ 혹시 저를 아시겠어요?"

그분은 전혀 모르겠다는 표정을 지으며 나를 쳐다보았다. 뻘쭉했지만……

"혹시 주영 어머니 아니신가 해서요."

"어머머! 그럼 김용숙 선생님이신가요?"

"어떻게 제 이름은 기억하세요?"

"얼른 못 알아 봐서 죄송합니다. 선생님 성함은 잊을 수가 없지요. 우리 주영이가 선생님을 얼마나 그리워하는데요. 목회 설교하면서 선생님 이야기를 여러 차례 한 것으로 압니다. 여러 번 찾았는데 찾을 수가 없다고 안타까워하고 있지요."

"어머! 목사님이 되었어요? 축하드립니다."

"'내 인생을 바꾼 말 한마디'라며 선생님 이야기를 설교 중에 서너 번이나 한 것 같아요."

사람도 많고 계속 우리 이야기만 나눌 수 없어 전화번호만 받고 헤어졌다. 집에 오는 내내 흥분되어 떨리기까지 했다. 만나보고 싶었고 많이 그리운 제자였다.

주영은 지금부터 36년 전에 주원초등학교 3학년 때 맡았던 아이다. 개구쟁이로 말썽을 도맡아 하는 그런 아이였다. 아이들에게 모래 뿌리기는 예사였고 공부시간에는 돌아다니며 아이들을 건드려 방해하는 게 일쑤였다.

그때만해도 내 교육관이 투철한 것도 아니었고, 뾰족한 지도 방법을 몰라 어찌할 바를 몰랐다. 엄마와 상담을 생각했다. 전화로 대충 사정을 말씀드리고 엄마를 만나기로 했다.

공부를 막 마치려는 시간이었다. 앞문에서 노크 소리가 들려왔다. 문을 열어 보니 학부모였다.

"저 주영 엄마입니다."

"네에, 잠시만요. 아이들 쉬는 시간 주고요."

득달같이 달려오신 것이다.

"선생님, 엄마인 제 잘못입니다. '문제아는 없다고 합니다. 문제엄마가 있을 뿐이지요.'"

머리를 조아리며, 자식을 잘못 키운 부모의 책임이라고 자기를 꾸짖어 달랜다. 그리고는 애원하듯 말을 한다.

"선생님 제가 무엇부터 고칠까요? 말씀해 주세요."

"주영 엄마, 주영이 체육시간에 노란 체육복 입혀 보내주세요. 다른 지도는 제가 해 보겠습니다."

그 학교에서는 교모를 쓰고 노란 체육복을 교복처럼 입고 다녔는데 체육시간에는 엄격히 입어야만 했다.

"선생님, 주영이 체육복 입고 왔어요."

"응, 선생님도 보았어. 이젠 주영이도 체육시간에 체육복 꼭 입고 다닐 거야. 그리고 너희들을 자주 괴롭혔는데 이제는 안 그럴 거야. 믿어도 돼. 주영이랑 같이 놀면 재미있지?"

노란 체육복을 입고 정글짐 오르내리기를 체육시간에 하고 있을 때였다. 정글짐 맨 위에 주영이 올라가 있었다. 그런데 '앗! 어쩌지?' 아랫바지가 흘러 내려 팬티가 보인다. 자칫하면 다 벗겨질 찰나였다. 나는 재빨리 다가가 주영을 내려오라고 하고 바지를 올려 주면서 살펴보니 고무줄이 늘어져 있었다. 나는 웃음이 나왔다. 엄마가 얼마나 바빴으면 허리 고무줄 늘어진 것도 확인 안하고 입게 했는지.

임시방편으로 교실로 데리고 들어가 허리 고무줄을 끌어내어 묶어주었다. 그리고는 주영을 살포시 안았다.

"주영아, 선생님 눈을 쳐다봐."

주영이는 조심스레 나를 쳐다보았다.

"주영아, 너는 잘할 수 있는 아이야. 선생님은 알 수 있어. 주영아, 믿는다."

긴말을 하지 않았다. 구체적으로 어떤 행동을 요구하지도 않았다. 이미 주영은 잘해보려는 마음이 있는 눈빛이었다. 다시 꼭 안아주었다. 그리고는 주영이 손을 잡고 아이들이 운동하고 있는 운동장으로 나갔다. 짧은 시간이었다.

그날 이후 주영이는 완전히 다른 애가 되어 가고 있었다. 맨 앞자리에서 고개를 바짝 들고 공부시간 내내 집중하여 내 이야기를 들었다. 참으로 귀엽고 사랑스러웠다. 그때는 일제고사가 있던 시절이었다. 연습문제 풀이도 우수해졌다. 자신감이 생겼나보다. 그러더니 월말고사에서 1등을 하게 되었다. 나도 아이들도 정말 깜짝 놀랐다. '세상에 주영이가? 이런 일도 있구나!'

나는 다른 학교로 전근을 가고, 주영이는 4학년으로 올라간 어느 날 우편함에 주영이의 편지가 꽂혀 있었다. 4학년 1학기 성적이 좋지 않다는 걱정스러운 편지 내용이었다. 나는 용기를 주는 독려의 편지를 바로 보냈다. 내 편지를 책상 속에 넣어두고 꺼내서 읽고 또 읽어본다는 답장도 왔다. 그리고는 여느 아이들처럼 소식이 끊겼다.

그로부터 10여 년이 지난 어느 날, 주영 엄마를 어느 병원 로비에서 만나게 되었다. 동료교사들과 동학년 선생님 병문안 차 들렀을 때였다.

"어머! 선생님 안녕하세요?"

"네, 주영이 어머니시죠?"

"주영이 잘 있죠? 대학교 들어갈 때 같은데요."

"우리 주영이 작년에 연대 성악과에 합격했는데 일 년 다시 공부해서 서울대 종교 음악과를 갔어요."

"축하해요. 주영이 장하네요."

"그런데 선생님, 주영이 성공해야 하는 이유가 두 가지인데요. 그중 하나가 공식석상에서 선생님을 모시는 거래요."

난 그 말을 듣고 너무나 황홀하고 감격했다. 어떤 말로 표현이 가능할까? 교사인 나만이 들을 수 있는 최고의 선물이었다.

그리고 서로 바쁜 시간이라 그냥 헤어졌다. 이 나이가 되도록 많이 보낸 세월 속에, 주영이 성공하려는 이유 '성공해서 공식석상에서 선생님을 모시겠다' 라는 말을 가슴에 안고 참으로 행복했다.

그런데 정말 뜻밖에, 서로 알아보기도 힘든 만큼 30년이 훌쩍 넘겨 만나게 된 것이다. 그냥 지나치지 않고 확인한 행동이 나를 더없이 기쁘게 한다. 주영을 만나게 된 것이.

주영은 내가 한 말이 인생을 바꾸었다고 하지만, 실은 주영 엄마가 나에게 들려준 '문제아는 없다고 합니다. 문제엄마가 있을 뿐이지요.' 라는 말이 더 내 마음을 움직인 말인 것 같다.

다음은 주영이 목사가 되어 성도들에게 한 이야기이다. 내가 부탁하여 보내준 글을 소개한다.

나를 인정해준 말 한마디가 제 인생을 바꾸었습니다.
주원초등학교 3학년을 담임하신 김용숙 선생님입니다.

신발이 들어 있어야 하는 내 신발주머니에는 모래가 가득 들어 있었습니다. 누군가를 만나면 그 모래를 뿌릴 준비가 되어 있어야 했거든요.

아버지가 목사인 교회 문 앞에 서서 교인들 못 들어오게 긴 빗자루를 휘두를 때도 많았습니다. 괜히 심통이 나는 날은 더 심했습니다.

모두가 저를 향해 문제아라고 수근거렸습니다. 엄마 아빠의 애간장을 태웠습니다. 심지어 이런 나를 나 자신도 포기했던 것 같습니다.

거울을 보면서 내 자신이 이 세상에서 가장 못난이라는 생각까지 늘 하고 살았습니다.

그러던 어느 날 체육시간에 모처럼 입고 간 노란 체육복이 흘러내렸습니다. 그걸 선생님께서 보셨는지 나를 데리고 교실로 들어가 고무줄을 당겨주셨습니다. 그리고는 저를 품에 꼬옥 안아주셨습니다. 선생님의 품은 참으로 따뜻했습니다.

선생님은 나에게 선생님의 눈을 쳐다보라고 하시면서

"주영아, 너는 잘할 수 있는 아이야. 선생님은 알 수 있어. 주영아, 믿는다."

긴말을 하지 않으셨습니다. '잘할 수 있다. 주영아 믿는다.'는 짧은 한마디 말씀이셨습니다. 구체적으로 어떤 행동을 요구하지도 않으셨습니다. 다시 꼭 안아주셨습니다. 내 손을 잡고 아이들이 운동하고 있는 운동장으로 나갔지요. 짧은 시간이었습니다. 선생님의 말씀은, 처음 들어 보는 어색하고 낯선 말이었어요. 그런데 이상하게 싫지 않았습니다. 아니, 그 말이 사실이었으면 좋겠다는 소원을 품게 되었죠.

그날 집에 가는 길이었어요. 학교 앞 문방구를 지날 때 늘 딱지와 구슬 등 장난감에만 눈이 갔었어요. 다른 때와는 다르게 문제집과 참고서를 살펴보게 되었습니다. 한달음에 집으로 달려와서 엄마에게 다짜고짜 악을 쓰며 말했습니다.

"엄마, 이달학습, 다달학습, 표준전과 모두 다사주세요."

엄마는 어안이 벙벙해 하셨습니다.

"주영아~ 놀자!"

아이들이 부르는 소리가 들렸지만 나갈 수가 없었습니다. 나를 믿어주는 선생님을 떠올리며 공부를 했습니다. 결과가 아주 좋았습니다. 반에서 일등을 하게 되었습니다. 기적 같은 일입니다.

그 후로 나는 목사가 되었습니다. 많은 문제 있는 인생들을 만나게 됩니다. 세상에서 아프고 깨지고 상처투성이인 사람들과 함께 울고 함께 기뻐하는 목사의 삶을 살게 되었습니다.

선생님을 떠올리며 이런 육신을 가진 사람들을 주님 앞으로 끌어주는 목사가 되려고 오늘도 노력하며 소망합니다.

봄날(33×24.5㎝) 유화 캔버스 2018

제5부

보물
창고

우리 아이들의 글과 편지 모음
— 나의 행복창고 1

　그 어린 2학년 아가들이, 스승의 날 반 전체 한 명도 빠짐없이 편지를 써 책으로 엮어 준 감동적인 편지글.

　성공할 때까지 늙지도 말고 할머니도 되지 말라고 강하게 부탁한 편지글. 멀리 일본, 이탈리아에 가서도 잊지 않고 보내준 고마운 편지글. 나도 언제 그런 일이 있었나 싶을 정도로 작은 것에도 기뻐했던 이야기.

　온갖 정성 들여 반듯하게 바른 글자로, 또는 삐뚤삐뚤 글자에 마음을 실어 보내준 아이들의 글. 꿈속에서 선생님을 만나 행복하다는 이야기.

　하루 종일 미소 가득한 선생님의 얼굴이 너무 보고 싶다는 이야기…… 내가 두고두고 꺼내 쓰는 행복창고다.

　여기, 행복창고를 활짝 열어 마음껏 행복을 나눠주려고 합니다.

　오십시오! 행복창고로!

우리에게 복을 주신 김용숙 선생님께

선생님 저 재선이에요.

오늘은 선생님께 감사의 편지글을 쓰려고 합니다.

우리 반은 복 받은 반입니다.

선생님께서는 좋은 점이 아주 많습니다.

우리 선생님의 좋은 점을 따라올 사람은 아무도 없습니다. 선생님은 요술쟁이입니다. 한 말씀만 하시면 아이들이 웃고, 한 말씀만 하시면 아이들은 조용해집니다.

선생님이라도 완벽한 사람은 없습니다.

하지만 우리 선생님은 나쁜 점을 찾으려고 해도 생각나는 게 없습니다. 아무리 생각해 보아도 결과는 같습니다.

선생님, 저에게는 또 하나 좋은 추억이 있습니다. 용두초등학교에서 전학 왔을 때의 일입니다.

선생님께서는 전학 온 나를 친구들에게 잘 대해 주라고 말씀하셨지요.

그 때, 반에서 제일 인기 많은 성희가 나한테 친절하게 잘 대해 주던 날이 최고로 기뻤습니다. 그 때는 부러울 게 없었습니다.

지금 당장 그 때의 과거로 돌아가고 싶습니다.

복 받은 우리 반에서 선생님 모시고, 성희랑 같이 재미있게 다시 공부하고 싶습니다. 선생님 감사합니다.

— 복 받은 반에서 공부한 재선 올림

유리가 정말로 사랑하고 존경하는 김용숙 선생님께

선생님을 우주 끝, 땅끝만큼 사랑하고 존경하는 유리예요. 선생님이 다른 학교로 전근 가신다는 소식에 마음이 너무 슬퍼요.

선생님과 3학년 4반이었던 친구들의 추억과 선생님의 좋은 점을 다시 한 번 떠올려 봅니다.

일 학년 때 가르쳐 주셨던 선생님이, 3학년 때 다시 담임 선생님이 되신 그 기쁨을 일기에 동시로 썼었죠.

복 받은 우리 반

복 받았네 복 받았네
얼씨구나 복 받았네

김용숙 선생님이
우리 4반 담임이시라네

우리 3학년 4반 친구들
모두가 복 받았네

복 받았네 복 받았네
얼씨구나 복 받았네

너무 좋아 너무 좋아
덩실덩실 춤이라도 추고 싶네

선생님이 조금 고쳐 읽어 주시고, 송효규 애기도 자세히 해주셨잖아요.

선생님께서 아픈 효규를 뽑았더니, 우리들은 효규와 같은 반에 주렁주렁 붙어 있어서, 효규 따라 선생님을 만난 거라고요.

선생님이 좋아서, 선생님 말씀대로 우리들은 효규반이라 효규에게 잘해주었어요.

스승의 날 파티, 반장 성희, 부반장 준형이, 지혜……

많이 생각납니다.

수학이 자신 없던 저를 수학도 재미를 갖게 해주신 점이 진짜로 감사합니다.

유리, 잘 커서 선생님 은혜에 보답할게요.

건강하세요.

— 선생님을 진짜로 존경하는 유리 올림

존경하는 김용숙 선생님께

쌀쌀한 날씨에 선생님 건강은 어떠신지요?

저는 규칙에 어긋나지 않는 생활로 건강하게 지내고 있어요.

방학한 지는 열흘밖에 안 되었는데 선생님이 무척 보고 싶어요.

선생님, 저 은미예요. 편지 늦게 보내 죄송합니다.

춥다가 겨울답지 않게 포근해 지는 등 변덕이 심한데 아프신 곳은 없으신지요.

배치고사가 하루하루 가까이 오는데 공부는 하기 싫으니 큰 일이에요. 잘해보자는 마음을 먹고, 책상 앞에 앉으면 머리가 아파요. 선생님 격려 말씀 들으면 금방 나을 텐데요. 전에도 선생님 말씀 듣고 공부를 열심히 했거든요. 아무튼 열심히 해서 좋은 성적 거둘게요.

선생님 제가 벌써 14살 되었습니다. 한 살 더 먹었는데 중학생이 된다고 생각하니 3살은 더 먹는 것 같아요.

중학 생활이 무척 어려울 텐데 걱정이 많이 돼요.

선생님 저는 요즘 불규칙적인 생활에 거의 방안에서만 지내고 있습니다. 그렇다고 공부만 하고 있는 것도 아니고요. 이제 정신 차리고 열심히 공부하겠습니다.

전 6학년 때의 생활을 영원히 잊지 못할 거예요. 이제 헤어진다고 생각하니 너무 슬퍼요.

선생님! 언제까지나 잊지 못할 선생님, 하시는 일마다 잘 되시고 몸 건강하세요.

저도 훌륭한 사람 되어 선생님 은혜에 보답하겠습니다.

안녕히 계세요.

— 신은미 올림

김용숙 선생님께

수빈이, 2년 동안 많은 것을 가르쳐 주셔서 감사합니다.

예쁜 꽃이 필 때쯤이나, 기쁜 날이 되면, 선생님 생각이 떠오를 것 같아 기쁘고 설레지만 벌써부터 괜스레 슬퍼지네요.

선생님과 함께 했던 시간 잊지 않을 거예요.

선생님이 저한테 말씀하셨던 것 '모든 것에 너만 일등하려고 하지 말 것. 누구한테나 이기려고 하지 말 것. 아무데나 친구들에게 소리 지르지 말 것.'을 고쳐 보려고 노력할게요.

선생님 지금도 많이 노력하고 있어요.

다른 친구들도 일등해야 하고, 다른 친구 입장에서 배려하기, 지는 것도 이기는 것이라는 말씀 기억하며 살게요.

선생님이 저를 많이 예뻐해 주셨지만, 고칠 점도 자주 말씀해 주셔서 수빈이 사람 되가는 것 같아요.

선생님! 영원히 잊지 못할 것 같아요.

크게 활짝 웃으시는 선생님의 모습, 살며시 미소 짓는 선생님의 모습 다 기억할게요.

— 수빈 올림

김용숙 선생님께

직접적으로는 저를 한 번도 지도하지 않은 김용숙 선생님. 고맙고, 감사합니다.

선생님께서는 저에게 용기를 주시고, 바르게 인도해주실 때마다 감사함을 느꼈습니다.

그리고 언제쯤이면 선생님과 함께 공부할 수 있을까? 하며 기대했습니다.

그러나 올해, 제가 6학년이 돼서 이 학교생활이 마지막이라 그 기회는 돌아오지 않네요. 무척이나 아쉽습니다.

작년 일 년 동안 부족한 제가 전교 부회장이 되었을 때, 여러 가지로 충고도 해주시고 격려도 해주셔서 많은 힘이 되었습니다.

선생님의 가르침 잊지 않겠습니다.

선생님 오래오래, 지금 이 모습으로 저희와 만날 수 있기를 바랍니다. 건강하세요, 선생님.

— 선생님의 영원한 팬 이상민 올림

선생님, 안녕하세요?

6학년 때 제자 박수호예요.

그동안 써왔던 일기를 읽다가 선생님 생각이 났습니다.

공부를 잘하지도 않고 똑똑하지도 않은 저를 음악 시간에 풍금을 치게 해주셨고, 도덕 시간에 좋은 말씀해주시던 것이 생생하게 생각이 나서 기분이 참 좋습니다.

초등학교 땐 멋도 모르고 짜증내고 투덜거리고, 1학년 땐 2학년

빨리 와라, 2학년 땐 3학년 빨리 와라 했던 것이, 어느새 벌써 중학생이 되었어요.

제가 느끼기에도 세월이 너무 빨리 가는 것 같아요.

영진이와 매일매일 싸웠던 일, 아름이와는 딱 한 번 싸운 일, 애들끼리 모여 숙제를 하면서 놀던 일이 모두 다 추억거리가 되었어요.

선생님 말씀대로 저의 기억도 6학년 때 선생님이 제일 남는 것 같아요.

선생님께 아부 떠는 것은 절대로 아닙니다.

선생님이 제 기억에 가장 남는 이유는요, 다른 선생님들도 가르치시는 것이 훌륭했지만, 그 선생님들 가르침은 그대로 저희들은 지키지 못했어요.

그러나 선생님 말씀을 들으면 그것을 꼭 지키게 되었어요. 마술 같았어요. 친절하면서도 강한 설득력 때문인 것 같아요.

선생님, 선생님 댁에 한 번 가고 싶은데 뜻이 있는 애들과 함께 갈게요.

앞으로 열심히 공부해서 우등상을 받아 초등학교 때 우리 선생님이셨던 김용숙 선생님께 꼭 보여드릴 게요.

선생님께서 잘 가르치신다고 소문이 많이 난 거 아세요?

선생님 사랑합니다.

— 박수호 올림

나에게 기쁨을 주신 선생님께

선생님, 너무 섭섭해요. 저와 계속 같이 공부하면 안 되나요?

휘곤이 말이 맞네요. 선생님이랑 계속 같이 할 수 없다고 하던 말이……

선생님 저는요~ 마법에 걸렸나 봐요. 제가 선생님 딸이고 선생님은 엄마인 거 같아요.

저희들의 마음을 잘 아시고, 이해하셨던 선생님.

선생님! 제가 선생님께 했던 이야기 생각나세요? 선생님하고 대학교까지 같이 가고 싶다고 했던 그 소원요.

진심이에요. 그런데 이 학교를 떠나시다니요?

그러나 제 소원 이루고 있습니다. 선생님은 매일 같이 제 마음속에 있으니까요.

선생님! 가시는 그 학교에서 4년하시고 제가 다니는 중학교로 오셔야 해요. 꼭!

— 선생님을 사랑하는 나라 올림

선생님, 저 임준형이에요

안녕하시지요? 선생님께서 들려주시던 선생님 어렸을 적에 이야기는 정말 재미있어요. 그리고 어려운 공부도 재미있고 쉽게 가르쳐주셔서 감사해요.

공부 잘하지도 않는데, 아이들이 나를 부반장으로 뽑아 준 것도 선생님이 우리를 모두 예뻐해 주신 덕택이에요.

선생님을 잊지 못할 거 같아요.

효규는 아파도 노래 부르기를 좋아해서 우리를 재미있게 해줬어요.

효규가 빨리 나아서 공부도 잘했으면 좋겠어요.

— 임준형 올림

선생님, 그동안 안녕하셨어요?

지금은 밖에 하얀 눈이 나비처럼 훨훨 펄펄 내리고 있어요.

선생님의 편지 받고 깜짝 놀랐어요. 선생님이, 선생님이 편지를 보내실 줄은……

이번 겨울방학 형과 함께 잘 보냈어요. 영화도 몇 편 보고 책도 많이 읽었어요.

저 선생님의 편지 받고 많은 것을 반성하고 다짐했어요.

1학년 때의 성윤이로 돌아갈게요. 앞으로 공부를 더 열심히 해서 선생님의 기대에 어긋나지 않도록 노력할게요.

나중에 커서 훌륭한 사람이 돼서 선생님을 꼭 찾아뵐게요.

선생님! 제가 성공할 때까지 늙지도 말고, 할머니도 되지 말고 지금의 선생님 모습으로 남아계세요.

선생님은 저의 또 다른 어머니세요.

선생님! 저를 좋은 길로 인도해 주셔서 감사합니다.

— 선생님을 존경하는 성윤 올림

무더운 여름이 찾아오네요. 선생님 안녕하세요?

제가 벌써 3학년이 됐어요.

1학년 때 선생님께서 발표를 잘하도록 해주셔서, 모든 것에 자신감이 생겼고 발표 잘하는 지아로 다시 태어나게 해주셨어요.

그래서 제가 반장, 부반장도 하고 우물우물 말하지 않고 남들 앞에서 자신 있게 말할 줄 아는 똑똑이가 되었어요.

선생님은 우리가 힘들어하면 '3, 6, 9게임'도 같이 하시고, '테크노' 춤도 추게 하셨잖아요. 선생님께서 그렇게 해주시니까 우리들이 흥미를 가지고 학교 오는 게 즐거웠어요.

그러니까 공부 시간에 공부를 더 열심히 하게 되고 선생님 말씀에 귀 기울여 듣게 됐어요.

그래서 저는 선생님이 정말 좋아요. 감사해요.

선생님하고 같이 공부하고 싶지만 그건 맘대로 안 되잖아요.

3학년에서도 선생님이 가르쳐준 대로 발표도 잘하고 공부도 잘하니까 저 예쁘죠?

선생님, 제가 어른이 됐을 때도 살아 계시도록 건강하세요.

선생님 은혜 갚겠습니다.

— 김지아 올림

사랑하는 선생님께

선생님 저 정희예요. 기억나시죠?

2학년 때 저를 잘 가르쳐 주셔서 감사합니다.

그중에서도 해나가 저를 괴롭혔을 때 해나, 혜인이 혜린이와 주미 그리고 저를 불러 이야기를 들어 보시고 같이 의논해서 해결해 주신 것 정말 고맙습니다.

해나랑 같은 반인데, 지금은 해나가 나에게 잘해줘요. 우리는 친한 친구가 되었어요. 나중에 훌륭한 사람이 되겠습니다.

— 정희 올림

선생님 안녕하세요?

선생님과 같은 반이 못되어 많이 섭섭해요.

처음 3학년이 되었을 때는 자꾸 선생님 생각이 나서 집에서 혼자 울었어요.

이제는 울지 않아요. 선생님이 우리 학교에 계시니까 제 곁에 있다고 생각해요.

2년 동안이나 저를 잘 키워 주셔서 3학년에서 완벽하게 잘하고 있어요. 지금 선생님한테 많은 칭찬을 받아요. 그게 다 선생님 덕분이에요.

선생님과 함께 지내온 시간도 어제처럼 느껴지는데 벌써 두 달이나 세월이 흘렀네요.

요즘 학교생활도 재미있고 즐거워요. 많은 친구들과 대화도 나누고, 서로의 의견도 주고받기 때문이에요.

우리 반에 김혜원이라는 친구가 전학을 왔는데 예쁘고 똑똑하고 명랑해요.

우리 조인데 제가 모둠장이라 친구들을 많이 확인해요. 글씨도 예쁘게 쓰고 여러 가지 칭찬할 점이 많아요.

정희랑 같은 반이 되었는데 친하게 잘 지내고 있어요.

선생님! 건강하게 오래오래 사세요.

— 김용숙 선생님의 제자 해나 올림

1학년 선생님께

선생님, 안녕하세요? 저 보라예요.

기억나세요?

선생님께서, '웃으면 좋은 일만 생기고, 짜증을 부리면 짜증 부릴 안 좋은 일만 생긴다.'라고 그러셨죠?

선생님 말씀이 맞는 것 같아요. 제가 짜증 안 부리고 웃었나 봐요. 엄마도 집에 오시고, 저 부반장도 되었잖아요.

선생님께서 저 부반장 되었다고 저를 축하해 주셔서 고맙습니다.

이제부터 짜증 부릴 일이 생겨도 선생님 생각을 하면서 짜증을 안 부릴 거예요. 그리고 많이 웃을게요.

선생님 사랑해요!

— 김보라 올림

안녕하세요?

저는 지혜입니다. 선생님과 함께 했던 학교생활이 너무 즐겁고 행복한 시간이었습니다.

우리들이 잘할 때는 아낌없이 칭찬해 주시고, 잘못했을 때는 호랑이보다도 더 무섭게 하셨지요. 그러나 저희들과 친구처럼 놀아주시고 우리들은 신이 나서 깔깔깔 정말 즐거웠어요.

선생님 어렸을 때 이야기는 우리들 모두가 제일 좋아했지요.

시간 날 때마다 들려주셨잖아요.

선생님!

저에게 자신감을 갖게 해주셨고 사랑으로 대해 주셔서 정말 고맙습니다.

저는 평생 선생님을 제일 좋은 선생님으로 기억할 것 같습니다.

부족한 저를 잘한다고 칭찬해 주셔서 신이 나서 더 열심히 하였습니다.

선생님이 저를 보면 보람을 느낀다고 하셨지요? 저도 선생님 만난 것을 영광이라고 생각합니다. 다시 한 번 고맙다는 말씀드리고 3학년 때는 선생님을 다시 만나고 싶습니다.

— 지혜 올림

사랑하는 김용숙 선생님께

선생님, 안녕하세요? 저 은지예요.

헛똑똑이, 저 은지를 똑똑이로 만들어 주셔서 참으로 감사해요.

선생님, 목은 괜찮으세요? 이제 아프지 마세요.

선생님, 저는 1학년으로 돌아가고 싶어요. 하지만 더 훌륭하게 되려면 참을 줄 알아야 된다고 말씀하셨잖아요. 그래서 선생님 말씀대로 참고 열심히 공부할게요.

선생님 건강하세요.

— 선생님을 사랑하는 똑똑이 은지 올림

선생님, 저 두일이에요

그동안 안녕하셨어요? 스승의 날 카네이션 대신 편지를 씁니다.

1학년 때 저는 거의 잘못된 길로 가고 있었어요. 그런 저를 꾸중도 하시고 칭찬도 해주시면서 올바른 길로 가게 해주셔서 지금의 제가 있습니다. 그 점을 아주 감사하게 생각해요.

만약에 저를 그냥 내버려두었더라면 저는 2학년, 3학년, 4학년 지금도 나쁜 길로 빠져들고 있을 거예요.

선생님, 앞으로도 열심히 공부하고 바르게 커서 훌륭한 사람 될게요.

— 두일 올림

1학년 4반 선생님께

저 매일 심부름 와서 선생님을 뵙는 작년 1학년 선생님의 제자 소현이입니다.

선생님은 제가 3학년이 되도 4반이 되시는 건가요? 3학년 때 선생님 반이 되고 싶어요.

저는 2학년 5반이 되어 섭섭했지만 2학년 4반, 선생님 반이 된 친구들은 좋아서 방방 뛰었죠. 은지와 나는 '테크노 시간도 가질 텐데, 너무너무 좋겠다' 하며 많이 부러워했어요.

그래도 저는 5반에서 칭찬을 많이 받고 있어요. 발표도 잘하고 글씨도 잘 쓰고 친구들과도 친하게 지네요. 아이들이 나를 많이 부러워해서 기뻐요. 선생님이 잘 가르쳐 준 덕분입니다.

선생님, 심부름 가서 또 뵐게요.

— 김소현 올림

선생님, 저를 만날 때마다 밝은 미소로 반겨주셔서 감사해요

저 선생님이 잘 가르쳐주셔서 영재반이 되었어요.

선생님이 글자 바르게 쓰기, 수학, 국어 등 차근차근 잘 가르쳐 주셔서 공부가 재미있고 잘하게 되었어요.

앞으로도 더 열심히 노력해서 훌륭한 사람 될게요. 칭찬 많이 해주셔서 정말 신났었어요.

감사합니다.

— 채아 올림

유진이가 사랑하는 선생님께

안녕하세요? 요즘 날씨가 많이 포근해졌어요.

선생님께서도 더 화사해 지셨어요.

저는 한 학년이 올라가고 선생님께서는 연세가 더 드시네요.

세월이 참 빠른 것 같아요. 선생님과 함께해서 더욱더 행복했던 한해가 지나가고, 선생님과 친구들 모두 함께 가지 못하는 것도 많이 아쉽습니다.

선생님을 맞이하게 되는 아이들은 복이 내리겠죠?

저도 잠시나마 복을 누렸으니, 이제 그 아이들에게 욕심 없이 복을 넘겨야겠네요.

선생님.

선생님은 아이들을 가르치는 분이지만, 선생님을 다른 직업에 비유하면 마법사, 탐정, 판사나 형사 같아요.

마법사는 잘못하는 과목도 잘하게 만드는 것이 마법사 같고, 탐정은 숨은 능력을 찾아내서 키워주는 것도 탐정 같고, 판사는 잘 잘못을 가려주는 것, 형사는 범인을 찾아내듯 아이들이 잘 못하고 있는 것을 찾아내는 것과 같아요.

선생님은 우리가 잘하는 것을 꽉꽉 밀어주셔서 대회를 낯설지 않게 해주시고, 각종 대회에 나가게 해서 상도 많이 타게 해주셨잖아요. 많은 대회에 저도 추천해 주시고, 추억과 경험을 쌓도록 도와주셔서 선생님께 하늘땅만큼 감사해요.

저희 어머니께서 말씀하시기를 '나도 선생님이잖니? 하지만 너희 선생님처럼 적극적이고 아이들 사랑하는 선생님은 별로 없단다.' 저는 이 말씀을 듣고 교육청에서 선생님께 큰 상을 드려야 한다고 생각했어요.

선생님, 저는 죽을 때까지 선생님을 잊지 못할 거예요.

선생님 건강하세요.

— 선생님의 사랑을 듬뿍 받은 이쁜 제자 유진 올림

안녕하세요? 저 규민이예요

1년이 지났지만 선생님의 은혜는 잊을 수 없을 만큼 가슴속에 가득 찼습니다. 공부도 쉽고 재미있게 가르쳐주셔서 잘하게 되었고, 노래도 가르쳐주셔서 대회에 나가 우리들이 대상까지 받게 되었습니다. 선생님이 안 계셨으면 우리는 대회도 못 나가고 상도 못 받았을 텐데 눈물이 날 정도로 감사합니다.

대상은 선생님 것인데 저희들이 받은 것만 같습니다.

선생님이 저를 뽑아 주셔서 좋은 추억 만들어 주셨습니다.

3학년이 제일 좋았어요. 선생님 사랑해요.

— 규민 올림

김용숙 선생님, 그동안 안녕하셨어요?

1학년 7반 친구들도 잘 있지요?

한국은 2월 18일까지 겨울방학이었지요? 여기는 크리스마스 때 며칠만 놀고 계속 공부했어요. 저는 1월 13일부터 아메리칸 스쿨에 다니기 시작했어요. 1학년과 2학년 사이에 있는 반에 다니지요.

이탈리아도 좋아요. 밀라노에는 사람이 많아서 그런지 낙서가 많아요.

처음에 여기 와서 며칠 동안은 호텔에 있다가, 생펠리체라는 곳에서 한 달쯤 살았는데, 거기에는 호수가 있어요. 창문을 통해서 백조와 흑조가 다니는 걸 볼 수 있었어요.

여기는 오페라라는 동네예요. 아메리칸 스쿨이 바로 옆이라 걸어서 5분밖에 안 걸려요.

우리 반은 나까지 15명이에요. 음악, 미술은 이탈리아 선생님이 따로 계시고, 도서관에서 책도 빌리고 컴퓨터도 배워요.

점심 먹고 3시 반이면 끝납니다.

친구들에게 제 주소와 전화번호 알려주시고 이 편지도 선생님과 친구들에게 같이 보내는 것이니 친구들에게 읽어주세요.

선생님도 친구들도 많이 보고 싶어요. 3년 후에 다시 한국으로 갑니다. 그때 뵙겠습니다.

— 친구들과 선생님께 호정이가 씀

선생님 안녕하세요?

저는 1학년 때 가르쳐준 김동규예요. 선생님 덕분에 큰 목소리로 자신 있게 발표하고 공부 잘하고 있어요.

저는 아직도 선생님과 함께 공부하는 기분이에요.

1학년 때는 참 좋았어요. 테크노춤과 막춤도 추는 장기 자랑 시간도 있었잖아요. 저는 춤을 출 때가 가장 좋았어요. 춤을 출 때 선생님이 웃으시며 잘한다고 하면 신이 나서 힘든 줄도 모르고 신나게 추었거든요.

선생님을 매일 보고 싶어요. 3학년이 될 때 선생님과 같은 반이 되고 싶어요.

저는 선생님이 좋은 일만 일어났으면 좋겠어요.

선생님 오래오래 행복하게 사세요.

— 김동규 올림

언제나 다정하신 선생님께

선생님 안녕하세요? 저는 개구쟁이 동식이에요.

2학년이 얼마 안된 것 같은데 벌써 여름이 된 것 같이 더워졌어요.

저는 선생님 생각을 많이 해요.

선생님, 선생님도 우리를 많이 사랑하셨지요?

저랑 우리 친구들 모두 선생님을 많이 사랑했어요. 선생님도 아셨을 거예요.

선생님, 저도 많이 컸어요. 이제는 선생님 말씀대로 개구쟁이 짓 그만하고 똑똑한 동식이가 될게요. 선생님도 지켜봐 주세요.

선생님 항상 건강하세요.

사랑해요. 선생님!

— 선생님을 사랑하는 개구쟁이 오동식 올림

선생님, 안녕하세요?

저 1학년 5반에서 선생님과 같이 공부한 현진이에요.

제가 교통사고로 병원에 입원했을 때 병문안을 오셔서 감사합니다. 그리고 우리 반 친구들 편지를 다 모아 바구니에 담아 오셨잖아요. 하나하나 읽으면서 위로를 받고 잘 참을 수 있었어요.

선생님 감사합니다. 사랑해요.

— 현진 올림

김용숙 선생님께

선생님~

거의 1년 동안 공부를 잘 가르쳐주어서 고맙고, 힘드신 데도 꾹 참고 하시는 선생님이 부러워요.

전 일요일에도 학교에서 선생님이랑 공부하고 싶은데, 휴식 날이라서 안타까워요. 그래도 월~금요일까지 하니까 즐거워요.

절 이렇게 잘 키워주셔서 고맙습니다.

선생님은 왜 선생님이 되셨어요?

제가 생각하기에는 우리 아빠처럼 의사 선생님이 될 수도 있었을 텐데요.

선생님은 우리 학교에서 일등인 것 같아요.

감사하고 고맙고 오래오래 사세요.

2학년이 되어서 김용숙 선생님 반이 되었으면 좋겠어요.

같은 반이 못돼도 좋습니다. 왜냐하면 새로 친구들도 많이 생기고 새로운 선생님을 만나 공부 잘할게요.

선생님은 다른 애들을 훌륭하게 키우세요.

—우석 올림

김용숙 선생님께

창밖에는 계절을 모르는지 자꾸 비가 내리고. 제 마음속에서는 며칠 전부터 계속 선생님 얼굴이 떠오릅니다.

선생님의 딸 현진이가 왜 이리 마음이 들뜨는지 선생님은 아시겠죠?

그래서 드디어 이렇게 펜을 잡고 인사드립니다.

선생님을 생각하면 제일 먼저 이 일이 떠오릅니다. 학기 초에 선생님께서는 제 글씨를 보시고 칭찬해 주셨죠?

그 말씀도 아직 생생해요.

"얘들아! 같은 숙제라도 현진이 것을 한 번 봐라. 어쩜 이렇게 정성껏 썼나. 3학년이 6학년 글씨보다 더 잘 썼지?"

그 칭찬에 더욱 글씨를 잘 쓰게 된 것 같아요. 그치요?

그리고 선생님과의 추억 중에는 빼놓을 수 없는 추억이 제 마음을 노크합니다. 바로 제 이마에 났던 '여드름'이죠.

제 이마의 옥에 티 빨리 들어가라고 비누도 주셨잖아요. 덕분에 옥의 티가 없는 옥이 되었습니다.

또 지금 가르치고 있는 제 동생 현경이와 나눈 대화가 떠오릅니다.

"김용숙 선생님은 내 선생님이다. 아니, 우리 엄마나 마찬가지다."

"아니야, 이젠 우리 선생님이야! 선생님은 나를 더 좋아하셔!"

며칠 전의 현경이는 저보다 더 선생님을 좋아한다는 듯이 자랑을 했어요.

그때 제 마음이 얼마나 덜컹거렸는지 몰라요. 설마 했거든요. 제 동생이지만 선생님을 뺏긴 기분이었어요.

선생님 건강하세요. 사랑합니다.

— **선생님의 영원한 딸, 제자 현진 올림**

선생님, 저 아리예요

선생님과 헤어진 지 벌써 3년이나 됐네요. 지민이랑은 다른 반인데 무지 친하게 지내고 있어요. 지민이랑 선생님 이야기 많이 합니다.

선생님, 1학년 때 목에 혹이 나서 목소리를 크게 못 내셨죠? 지금은 괜찮으신가요?

1학년 때 '가족상'(가족의 수만큼 사탕을 주는 상)을 받으면 가족에게 많은 칭찬을 받았습니다. 그 '가족상'을 주실 때 아주 큰 상이라며 주셨잖아요. 잊을 수가 없습니다.

또다시 선생님 반이 될 거라고 믿습니다.

그때까지 건강하세요. 선생님, 사랑합니다.

— 아리 올림

김용숙 선생님께

2년 동안이나 잘 가르쳐주셔서 감사해요. 3학년도 같이 올라가면 좋겠는데……

3학년이 되어서는 더 열심히 공부할게요. 선생님이 많이 보고 싶을 거예요. 선생님 많이 사랑합니다.

선생님이 저보고 어른스럽다고 칭찬해주셨잖아요. 그러나 새로운 것에 두려워하는 저에게 '새로운 것을 두려워하지 말고 새로운 것을 반겨라'라고 하신 말씀 잊지 않을게요. 선생님 사랑해요. 감사해요. 편찮으시지 말고 건강하세요.

— 이용재 올림

김용숙 선생님께

딸기랑, 앵두랑, 포도가 수줍어하며, 우리 식구들에게 기쁨을 주더니, 며칠째 비를 맞고, 더욱 싱그러워진 것 같아요.

열매들이 잘 익으면 예쁜 쟁반에 담아 선생님께 꼭 드리고 싶어요.

선생님, 안녕하세요? 저 애리예요.

저는 선생님을 하나하나 다 기억해요. 선생님 얼굴, 목소리, 웃으시는 예쁜 모습……

제가 전학을 와 친구들과 사이좋게 지내지 못했을 때, 선생님께서 친구들과 잘 사귀도록 도와주셨잖아요. 조금이라도 잘하는 게 있으면 칭찬도 많이 해주셨고요. 그래서 공부를 잘하게 되었어요.

전 그럴 때도 좋았지만 더 좋았던 것은 겨울방학 때요.

40명이 넘는 우리 반 모두를 선생님 댁으로 초대해 주셔서 맛있는 음식도 손수 해주시고, 우리가 추억거리가 될 수 있는 놀이도 함께해 주셨잖아요.

영원히 잊지 못할 '선생님 집에서 하는 학예회!'

진심으로 감사합니다.

몇 명은 하루 자면서 비밀 놀이까지 했고요. 잊지 못할 추억입니다.

선생님!

바르고 훌륭하게 자라서 큰 재목이 되도록 노력할게요.

선생님, 존경하고 사랑합니다.

— 서애리 올림

선생님 저 서현이에요

스승의 날 축하드려요. 저를 1학년 때 잘 가르쳐주셔서 감사합니다. 선생님 덕분에 4학년에 올라올 수 있었던 것 같아요.

1학년 같은 반이었던 친구들과 저는 키가 쑥쑥 자랐어요. 선생님을 가끔 뵙게 될 때 저는 무척이나 반가워요. 선생님이 저를 반갑게 맞아 주셔서 더 반가웠어요. 후배 1, 2, 3학년 동생들을 보면 옛날 1, 2, 3학년 때 생각이 많이 나요.

우리가 인천 먼우금초등학교에 처음 입학했을 때 친절하게 잘 대해 주셔서 감사해요. 친구들끼리도 선생님 얘기를 많이 해요. '내년에는 김용숙 선생님 반 다시 되고 싶다' 라고요.

선생님, 정말 정말 사랑해요. 선생님! 앞으로도 친구들과 선생님을 자주 만나고 싶어요.

— 서현 올림

사랑으로 감싸 주시던 선생님께

선생님 저 조준형이에요.

제가 1학년 때 안 좋은 일이 있을 때마다 항상 사랑으로 감싸 주셔서 감사했어요. 담임 선생님도 아니시고 옆 반 선생님이셨는데요. 그런데 갑자기 학교를 떠나신다는 소식을 듣고 깜짝 놀랐어요. 제가 만약 시간을 돌릴 수 있다면 얼마나 좋을까요? 그런 마음을 담아 시간을 되돌리는 캐릭터를 그렸어요. 그 캐릭터를 보면 1학년 때의 저를 떠올릴 수 있을 거예요. 선생님 정말로 감사했습니다. 사랑합니다 선생님.

— 조준형 올림

선생님 안녕하세요? 저 애리에요

스승의 날 축하드려요.

선생님, 저는 3학년이 되어서는 공부가 아주 재미있어졌어요. 다 선생님이 재미있게 잘 가르쳐주신 덕분입니다. 발표도 자신감을 갖고 잘하게 되었구요.

모둠 아이들과 신문 보고 발표하기 서로가 한다고 혜주, 은나, 지혜와 서로 다투기까지 했어요.

저 이번 어버이날에는 선생님 가르침대로 효도 많이 했어요. 내 방 깨끗이 치우기, 부모님 어깨 주물러 드리기 그리고 용돈 모았던 것으로 작은 선물도 사드렸어요.

엄마 아빠께서 흐뭇해하시며

"우리 애리 10년 키울만하네!" 하셨어요.

전 정말 기뻤어요.

선생님 저는 선생님이 들려주시는 '선생님 어렸을 적' 이야기가 정말 재미있어요. 오늘도 이야기 들려주셔서 감사해요. 앞으로도 많이 들려주세요.

저 애리, 선생님 아주 많이 좋아하는 거 아시죠? 선생님께서 저 많이 사랑하는 것도 저 알아요. 선생님이 공부 가르쳐 주시니까 모든 과목이 다 좋아요. 그리고 친구도 많아요. 특히 우리 모둠 친구들과 제일 잘 지내요.

오늘 친구들과 합동으로 만든 '얼굴표정만들기'에서 우리 모둠은 '상, 중, 하' 중에 상을 받아 우리 모둠 모두 함성도 질렀어요.

선생님 건강하시고 오래오래 사세요. 선생님 사랑해요!

— 애리 올림

1학년 선생님께

선생님 안녕하세요?

일 학년 때 선생님 말씀 잘 안 들은 적이 많았지요? 정말로 죄송해요.

2학년에도 선생님 반이 되었으면 했는데 2학년 5반이 되어서 아주 속상했어요. 3학년 때는 다시 꼭 만나고 싶어요.

그러면 3학년 때 같이 만나요. 선생님 건강하세요.

— 신재현 올림

선생님 안녕하세요? 저는 윤재현이에요

저는 선생님과 1학년 때 친구들이 많이 보고 싶어요. 가끔 하굣

길에 선생님을 만나면 반갑고 기쁩니다.

1학년 때 친구들과 연극한 것, 줄넘기한 것, 운동회 한 것들이 재미있어서 기억이 많이 납니다.

선생님께서 저를 잘 가르쳐주셔서 2학년이 되어서도 많은 도움이 됩니다. 발표도 잘하고 공부 잘하고 있습니다.

앞으로도 선생님이 가르쳐주신 대로 열심히 공부해서 훌륭한 사람이 되겠습니다.

선생님, 많이 사랑합니다.

— 윤재현 올림

안녕하세요? 저 누리예요

선생님 만나기 전에는 공부도 못하고 학교생활도 재미없었어요. 그런데 2학년에 선생님을 만나고 나니 공부도 잘하게 되고 학교생활도 아주 재미있어졌어요. 선생님 은혜 잊지 않을게요.

이제는 3학년에서도 즐겁게 생활하고 있어요. 선생님과 다시 만나고 싶었는데 안타까웠어요. 4학년에 꼭 다시 만나고 싶어요.

선생님 목 아팠을 때 제일 속상했어요. 지금은 건강하시죠?

선생님, 제가 커서 훌륭한 사람 되면 그건 모두 선생님 때문이에요.

선생님, 건강하세요. 선생님, 사랑해요.

— 선생님을 사랑하는 누리 올림

선생님, 스승의 날을 맞이하여 먼저 선생님 가정에 축복을 빕니다

저는 벌써 2학년이 되어 1학년보다는 더욱 의젓해졌답니다.

1학년 때, 선생님 말씀 안 들을 때도 있어서 속상하셨죠? 죄송합니다. 다음에 훌륭한 사람 되어 선생님 은혜 잊지 않고 갚겠습니다.

제가 연예인이 되어서 선생님을 찾아뵐 때까지 건강하시고 항상 좋은 선생님이 되세요.

선생님 정말 고마웠습니다. 선생님 잊지 않겠습니다.

꼭 건강하세요. 선생님 사랑합니다.

— 선생님 제자 김지원 올림

이제 1월도 다 지나가고 있어요

선생님께서는 새해에 세우신 계획 잘 지키시고 계신지요?

저는 지키려고 노력은 하는데 잘 되지 않아요. 새해의 제 계획은 더욱 공부 잘하는 학생이 되는 것이었거든요.

그러나 보람된 방학생활을 보내고 있어요. 성당에서 가는 졸업 피정도 카톨릭회관으로 다녀왔고요. 숙영이네 가족과 우리 가족이 서울랜드도 다녀왔어요. 참 신나고 즐거웠어요. 그리고 제일 중요한 것은 중학교 배치고사 공부도 열심히 하고 있어요. 전 선생님을 만난 이후로 공부에 취미도 붙이고 성격도 무척이나 좋아졌어요.

이 은혜 중학생, 고등학생이 되어서도 잊지 않겠어요.

선생님 다가오는 구정 즐겁게 보내시고 새해 더욱 알찬 계획도 세우세요. 복 많이 받으세요.

— 선생님의 제자 은영 올림

저는 선생님을 지구 우주만큼 사랑하는 은나예요

선생님, 선생님께서는 '끝마무리를 잘하자!'라고 말씀하셨죠? 제가 선생님 맘에 들도록 노력할게요. 그런데 벌써 3학년이 다 끝나가네요. 오늘, 18일 그리고……

선생님! 저희가 4학년으로 올라가면 선생님께서는 전근 가신다고 하셨죠? 저는 친구들(성희, 리아, 동희, 세진, 민주)처럼 파티는 준비 못했지만 너무너무 슬퍼요. 조금 남은 기간이지만 열심히 공부할게요.

항상 건강하세요.

— 선생님을 사랑하는 제자 은나 올림

선생님께

제가 어제 선생님과 우리 반을 생각하며 '행복한 우리 반'이라는 글을 썼습니다. 읽어 보세요.

행복한 우리 반

나에게는 소중한 사람이 많이 있다.

우리 부모님, 우리 친척 등이 나에게는 없어선 안될 소중한 사람들이다. 그리고 또 소중한 사람들, 우리 반 친구들과 선생님이다.

때로는 울기도, 웃기도 했던 우리 반. 지금 생각해보니, 처음 전학 왔을 때 어색한 분위기와 낯선 얼굴들. 그때는 모든 것이 조심스러웠고 나는 말없이 조용해졌다. 첫 모둠을 만들어 모둠활동을 하면서 나는 외톨이 왕따를 당하는 기분이었다. 나는 놀 친구가 없는 것 같아 쉬는 시간에 주로 책을 보았다. 그러나 외롭고 슬펐다. 별것도 아닌 것에 상처받고 울었다. 선생님께서는 내 처지를 알아차리고 마술같이 해결해 주셨다. 선생님 도움으로 아이들이 전학온 나를 이해해주고 잘 대해주었다.

내가 제일 좋아하는 과목은 국어, 미술, 음악이다.

그러나 나는 국어와 음악을 잘하는 줄도 몰랐다. 지금은 국어와 음악을 잘하고 매우 좋아한다. 선생님께서 내 능력을 끄집어 내주셨기에 지금의 유진이가 되었다고 생각한다. 수학이 부족하다고 말씀하시는 선생님의 충고를 받아들여 방학에는 수학답답이에서 벗어나리라.

무엇이든지 잘하려고 노력하는 친구들, 배려심 많은 친구들, 꾀꼬리 같이 노래를 함께 불러 음악제에 참가했던 친구들, 무엇이든지 우리를 이해하시고 열정을 갖고 팍팍 밀어 주시는 선생님.

이 모두가 있었기에 나는 이처럼 밝고 명랑한 아이가 된 것이다.
재잘거리는 친구들, 의욕 넘치시는 선생님, 사랑합니다.

— 이유진

엄마들의 편지 모음
— 나의 행복창고 2

어찌 이리도 마음을 다해 편지를 썼을까, 어찌 이리 마음에 와닿도록 표현했을까?

짧은 글도 긴 글도……

아이들 공책 여백에, 아이들 편지글 밑에 써보낸 엄마들의 응원의 메시지. 그리고 상담의 긴 편지, 자신들의 마음과 생활고까지 다 드러낸 편지글. 전학을 가면서까지 되돌아 와 건네 준 '내 아이는 전학 가지만 우리 아이들을 위해 끝까지 선생님으로 남아 있어 달라'는 고맙고 가슴 뭉클한 쪽지 글.

어느 글 하나 버릴 수 없는, 그분들의 자식을 향한 사랑, 애절함, 삶의 무게를, 담임인 나에게 감사함으로 승화하여 건네 준 이 글들을. 내 마음속에 고스란히 담아 나는 기뻐했고, 마음 아파했고, 애잖아 하면서도 참으로 행복했다.

그분들의 감사함으로 내가 있었고 나 또한 그분들에게 감사함을 전하려고 이 글을 모았다.

학교 가기 전 두렵고 떨리기만 하다던 우리 아이에게, 학교생활이 신나고 즐겁고 행복한 공간으로 바뀌게 해주신, 선생님 감사합니다.

— 시원 엄마

선생님, 노란 수선화의 꽃술이 무척 아름답습니다.

그래도 우리의 마음속으로부터 피어오르는, 색깔조차 말하기 어려운 그 아름다운 봉오리는, 그것을 넘어 더 높이 높이 피어올라 선생님께 향합니다.

우리에겐 그 어떤 말로도 형언키 어려운 마음속의 강물이 선생님을 향해 감사함으로 흐릅니다.

감사합니다. 부디 건강하세요. 아들과 제가, 아빠와 딸이 모두 두 손 모아 빕니다.

— 승원 엄마

푸르름이 눈부신 오월에 선생님, 감사드립니다. 깊이 고개 숙여 절 올립니다.

신록이 이렇게 아름다운 줄 금년에야 처음 알게 된 사람처럼 요즘 제가 많이 설렌답니다.

이리저리 항상 마음 써주시는 선생님께 참 부족한 엄마란 생각 많이 하곤 해요.

선생님, 건강하셔야 합니다.

푸른 눈들이 선생님 보는 재미에 학교에 달려가니까요.

저희에게 용기와 희망 가만가만 넣어 주신 선생님, 풍성한 녹음의 합창과 싱그런 봄의 기운과 그 공기 모두 선생님 것이게 하고 싶어요.

감사합니다. 고맙습니다.

— 승원 엄마

며칠 전 학교 앞을 지나다, 아이들 무용지도하시는 선생님의 따뜻하고, 애정 어린 손길에 잠시 가던 길을 멈추었어요.

그날은 선생님의 다정한 모습과 목소리를 떠올리며 행복한 하루였답니다.

건강한 모습 오래오래 간직하세요.

자주 뵙지는 못하지만 선생님의 맑은 마음이 항상 전해지거든요.

— 우영 엄마

알림장을 늘 풍성하고 정겹게 써주셔서 즐거운 마음으로 읽고 있습니다.

저도 궁금한 점이나 알려드릴 사항이 있으면 알림장을 이용하겠습니다. 늘 아이들을 따뜻한 사랑으로 대해 주셔서 감사합니다.

— 승준 엄마

아이에게 학교생활에 대해 물어보면 너무 재미있고 행복하다는 얘기를 많이 합니다.

학교생활을 이렇게 즐겁게 할 수 있도록 이끌어 주시는 선생님께 감사하다는 말씀과 함께 마음을 보내드립니다.

선생님의 항상 웃는 모습이 문득 떠오릅니다. 저도 항상 밝게 웃으시는 선생님의 모습을 닮아가야 되겠다는 생각을 해봅니다.

— 신수민 엄마

시댁 섬에서 가져온 것입니다. 굴, 바지락 모두 손질된 것이니 씻지 마시고 그냥 요리해 드십시오. 시골 참깨도 볶아서 조금 드립니다. 시어머니께서 감사하다고 손주 사랑표로 보내드리라고요.

맛있게 드십시오.

— 건형 엄마

우리 아이에게 아주 특별했던 이 학년!

혜린이가 평생 예쁜 추억으로, 따뜻했던 선생님을 기억했으면 좋겠어요. 저 또한 선생님께 여러 가지 가르침을 받았습니다.

지난시간 베풀어 주신 따스함에 진심으로 감사드립니다.

그리고 부탁이 있어요.

선생님!

오랫동안 우리의 아이들 곁에 계셔주세요.

— 전학 가는 날 아침 혜린 엄마

저에게 선생님은 의지하고 쉴 수 있는 커다란 느티나무 같은 더 없이 소중한 분이랍니다.

여리디여린 서은이를 자신감 넘치는 씩씩한 정신력을 가진 아이로 키워주셔서, 작년 힘든 일(큰 교통사고)을 서은이가 그 누구보다도 잘 이겨내고, 헤쳐나간 것이라 믿습니다.

엄마인 저도 가끔 깜짝 놀랄 정도로 의젓하고, 잘 참아내고, 투정 한 번 부리지 않고, 너무 대견해서 마음의 눈물은 그칠 줄을 모른답니다.

선생님과의 소중한 인연은 평생 잊지 못할 거예요.

올 한해가 선생님께서는 더없이 귀한 해라는 거 알고 있습니다.

선생님의 크신 사랑, 저희 가족 꼭 이 세상에 베풀면서 살아가겠습니다.

선생님의 그 환한 미소는 늘 저의 마음속에 간직하겠습니다.

초등교육의 큰 기둥이신 선생님, 언제나 건강하시고,

크신 가르침, 진심으로 감사드립니다.

— 서은 엄마

따뜻한 봄날, 어디론가 여행을 떠나고 싶은, 그런 봄날입니다.

그러면서도 환절기에 아이들 감기나 들지 않을까 걱정도 되구요.

선생님!

먼저 고마운 마음 전합니다.

선생님 처음 뵙던 날, 선생님의 참 모습을 보았습니다.

시류에 편승하지 않는 참스승에 모습을……

우리들의 아이가 그런 선생님의 사랑을 먹고 자랄 수 있어, 기쁜 마음 감출 수가 없네요.

선생님.

요즘은 우리 종현이가 학교 가는 걸 즐거워하는 게 눈에 보여요. 그래서 저 또한 흐뭇합니다.

저희가 선생님을 만나 행복하듯이, 선생님 또한 아이들과의 생활이 항상 행복하시기를……

— 이종현 엄마

선생님 덕분에 우리 경민이가 학교를 정말 좋아하게 되었습니다.

— 박경민 엄마

죄송합니다. 이렇게 서면으로 인사드려 몸 둘 바를 모르겠습니다.

혜선이에게서 들은 선생님의 내면세계를, 제 마음대로 상상해 봅니다.

아이들 가슴 가슴에 선생님의 사랑을 실어, 아이들에게 '사랑한다, 사랑한다.' 그 사랑 안에서 더 깊어가는 아이들은, 온몸에서 분수처럼 솟구쳐 오르는 아름다운 존재, 신앙적인 존재, 사랑의 존재로 선생님을 인식하지 않을까요?

혜선이의 일상적인 만남에서 선생님과의 인연은 영원히 잊지 못할 아름다운 사랑, 아름다운 추억으로 남겠지요.

'선생님의 어렸을 적 이야기'는 마치 그 이야기 속에서 함께 숨 쉬고 나온 아이처럼, 엄마에게 들려주는 혜선이를 보며, 혹시 어른이 아직 안 된 엄마가 혜선이를 가르치는 것은 아닐까, 많은 후회와 아쉬움이 남습니다. 지난 세월이 정말 정말 아쉽습니다.

가끔 가끔 '우리 선생님이 이런 이야기 해 주셨어.' 하며 수다스럽게 입 놀리는 혜선이를 보면, 앞뜰에 백합 꽃 한 송이가 가슴을 열어 피어나는 작은 기쁨을 맛보는 아이로 느껴집니다.

가능성의 덩어리로 키워주신 선생님 감사합니다.

혜선이의 기억 속에
'선생님의 눈빛은 시인이었어!'
막연한 추측과 바람으로 물방울 같은 글을 올립니다.
선생님이 움직일 때마다
꽃 향의 부드러움에 도취 되어
감미로운 표정을 짓고 있는
우리 모녀,
선생님 감사합니다.
― 혜선 엄마

선생님 존경합니다.
선생님, 그동안 고생 많으셨습니다.
늘 한결같은 마음으로 지도해 주시고 이끌어주신 선생님 고맙습니다.

아이가 초등학교에 입학한 지가 엊그제 같은데 벌써 12월로 접어들었습니다.

학년 초 선생님께서 말씀하신, 40개의 팽이를 한 개의 낙오도 없이 돌리려면 채찍도 필요하다는 말씀에 공감하며, 저 또한 1학년이 되어서 기도하는 마음으로 함께 했답니다.

선생님의 열정과 관심이 있으셨기에 우리 반 아이들이 한 명의 낙오도 없이, 이쁘고 똑똑하게 한 뼘 자란 것 같아요.

선생님께 깊은 존경심과 박수를 보냅니다. 한해를 보내며, 또 한해를 맞이하며 선생님의 가정에 기쁨과 행복함만이 가득하시길 소원하며 안녕히 계세요.

선생님, 사랑합니다.

— 민준기 엄마

선생님!

봄비가 온 대지를 촉촉이 적시는 날이네요.

늘 아이들에게 적극적이신 선생님을 보면서 머리가 숙연해질 때가 많습니다.

선생님께서 잘 이끌어 주시고, 제가 뒤에서 잘 밀어줄 때 어린 새싹은 잘 자라리라 믿습니다.

좋은 선생님 밑에서 배우는 우리 동현이야 말로 행운아라고 감히 말하고 싶습니다.

훌륭한 가르치심에 늘 감사합니다.

— 손동현 엄마

미소가 너무나 예쁘신 선생님.

예진이 예뻐해 주셔서 감사드립니다.

아직도 예진이가 수업 시간에 발표하기 쑥스러운가 봅니다. 관심 갖고 지도 부탁드립니다.

— 예진 엄마

우리 선생님!

언제나 감사드려요.

항상 신경 써주시니 몸 둘 바를 모르겠어요. 선생님께는 저절로 '우리 선생님' 소리가 나네요. 제가 선생님께 많이 의지하고 있습니다.

우리 이도, 이만큼 잘 키워주시고, 제가 의지까지 하고 있으니, 선생님을 만난 건 제게 크나큰 행운이지 싶어요.

이래저래 제가 복이 참 많은가 봅니다. 우리 이도는 선생님 덕분에 너무나 잘하고 있어요. 그 녀석 또한 선생님 은혜 못 잊겠지요.

항상 건강하셔서 선생님과의 좋은 인연 오래오래 지속하고 싶어요.

제 마음속 한편에 큰 의지로 자리잡은 선생님, 제자 하나 더 있다고 생각해 주세요. 진심으로 많이많이 감사드립니다.

— 이도 엄마

비 내리는 하늘을 물뿌리개로 표현했듯이, 우리 아이들에게는 선생님이 늘 물뿌리개라고 생각합니다.

우리 아이 하나하나에게 뿌려주시는 그 열정과 사랑 진심으로 존경하고 사랑합니다.

— 지예 엄마

사람들은 모두 행복해지길 바랍니다. 특히 내 아이는 더욱 행복 했으면 하는 바람을 갖게 됩니다.

꽃샘추위와 함께 시작된 학교생활은 다양하고 활기찬 활동으로 가득 차 있어, 아이도 저도 긴장의 연속이었지만, 입학 시의 불안 감과 막연함은 눈 녹듯 사라지고 은진이의 학교생활은 '즐거움과 행복' 그 자체입니다.

선생님의 보살핌 속에 학교라는 울타리에 잘 뿌리내린 것 같아, 이제 숨을 고르려합니다.

선생님의 사랑에 깊은 감사를 드립니다. 건강하시고, 행복하시 길 기원합니다.

— 방학하는 날 아침 은진 엄마

해 뜰 때부터 해 질 때까지 오직 송화를 사랑합니다.

삶의 보람 또한 어린 자식 키우는 재미로 사는 셈이지요.

선생님!

어린아이 선생님께 맡기고 저는 기도드릴게요.

'희망과 보람으로 점철된 직분을 소중하게 가꾸시고, 건강하게 생활 할 수 있는 선생님이 되게 도와주십시오.'라고요.

김용숙 선생님과 만난 올해는 제 인생에서 가장 행복하고 편한 시간을 보내고 있답니다.

하루를 삼일처럼 일하면서 지금의 이 시간을 꿈꾸었지요.

어머님은 돌아가시고, 비어 있는 시간들이 그리움으로 가득합니다. 십여 년을 중풍으로 고생하시다가, 칠 년을 우리와 함께 하시던 시숙님은 거처를 여동생 집으로 옮기셨습니다.

하나님께 제게도 사랑을 주신다면, 가장 고요한 시간을 보내게 해달라면서 쉬지 않고 기도로써 되새겼답니다.

드디어 이러한 시간들이 순풍의 돛을 단 듯 한꺼번에 주셨어요.

숨쉬기 벅찰 만큼 감사, 감사드리며 살아요.

인간은 꿈을 먹고 사는데, 우리 송화는 요즘 김용숙 선생님 흉내 내며 동생한테 교사역할로 많이 표현합니다.

내 일곱 살짜리 가시내만큼 소중한 우리 반 친구들 또한 사랑합니다.

끊임없는 관심과 애정으로 지켜가 주실 눈빛을, 진심으로 감사합니다. 답장 보낼 용기를 주셔서 다시 한 번 감사드립니다.

— 초여름에 송화 엄마

준한이 입학시키며 초조해 하던 때가 엊그제 같은데, 벌써 1년이 훌쩍 지나가 버렸네요.

준한이와 함께 학교를 다니며 어렵고 힘든 시간도 많았지만, 선생님께서 보듬어 주시고, 아껴주시고 잘 가르쳐주셔서 잘 이겨낼 수 있었습니다.

작은 일에도 크게 칭찬 해주시고, 원만하지 못한 친구관계도 잘 해결할 수 있도록 옆에서 지켜주시던 선생님께 진심으로 감사드립니다.

참으로, 선생님께서 사랑해 주신 덕분에 우리 준한이 잘 컸습니다. 아직은 부족한 점이 많지만 제가 뿌듯할 때가 많아요.

선생님! 저에게 행복한 일 년이었어요.

선생님, 어디에 계시든지 항상 기억할게요.

정말 감사드립니다.

— 준한 엄마

먼저 감사드린다는 말밖에는 할 말이 없네요.

예민한 우리 지호, 많이 아껴주시고 사랑해 주셔서……

혹 짜증스러운 아이로 학교생활을 할지 몰랐던 우리 지호를 자신감 넘치는 아이로 생활할 수 있게 됨을 진심으로 감사드립니다.

바빠 학교에 못 가는 저, 힘내라고 편지도 보내시고, 전화하셔서 지호 시 읽어 주시던 일, 발표 잘했다고 평생 오늘만 기억하라고 하셨던 말씀, 지호는 크게 될 테니 잘 키워야 한다고 말씀하신 일, 모든 말씀 항상 염두에 두고 살겠습니다.

더 열심히, 더 성실하게, 더 사랑하며 살겠습니다.

언제나 적극적으로 행동하시는 우리 선생님!
너무 너무 사랑하고 너무너무 감사드립니다.

　　— 선생님을 사랑하는 지호 엄마

가을을 선생님께 전부 드리고 싶습니다.

유경이의 즐거움과 자신감의 배경에 선생님의 사랑과 관심이 늘 함께함을 기억하며, 언제나 따뜻한 배려와 적절한 조언으로 힘이 되어 주셨습니다.

　　— 유경 엄마

철부지 아이들 가르치시느라 심신이 피곤하신 가운데 선생님의 아이들 하나하나에 쏟으시는 선생님의 열정과 사랑에 항상 감사드립니다.

　　— 신유진 엄마

선생님, 어떠세요? 현일이가 선생님 목에 혹이 2개나 생기고 더 심하면 수술해야 된다고 하며 걱정 많이 해요.

빨리 나았으면 좋겠네요. 현일이 말같이 빨리 나으세요.

　　— 현일 엄마

'19일'에 혜은이가 이사를 가기로 했습니다.

언제쯤 학교에 찾아가서 말씀드릴까 망설이고 있었는데, 선생님께서 먼저 아시고 메모를 보내주셨더군요. 작은 것까지 신경 써주시는 선생님 감사합니다.

학교에 다니면서 친구도 많아졌고, 선생님도 좋아해서 학교 가는 걸 너무나도 즐거워했어요. 혜은이에게는 되돌아가고픈 좋은 추억이 되리라 생각해요. 그 이유의 절반은 좋은 선생님을 만난 덕이라고 생각해요.

— 혜은 엄마

집 앞, 공원의 호수가 더욱 파아란 하늘을 닮아가고, 가지마다 조금씩 푸른 옷을 벗고 알록달록 가을 채비를 하네요.

선생님!

학예회 준비하시느라 힘 많이 드셨지요?

오늘 어찌나 대견하던지, 주책맞게 눈물이 핑그르 돌아서 혼났어요. 모두가 내 자식 같아 뿌듯하기까지 하더라고요.

제가 이런 맘이니 선생님은 더 하셨겠죠?

— 광은 엄마

가뭄으로 온 대지가 무척이나 봄비를 기다렸는데 며칠 동안 내려준 비 덕택에 풍성한 봄을 맞이한 것 같습니다.

오늘은 그간의 노고를 위로와 축하라도 해주듯, 비 온 후의 상큼함과 함께 아름다운 봄기운이 온 누리에 퍼지고 있습니다.

남보다 어린 딸을 들여 보내놓고, 걱정이 많았는데 점차 변화되어가는 딸을 보면서 마음이 놓이고 선생님에게 기대버린 제가 된 것 같습니다.

3월생의 효진이를 2월에 호적에 올려놓고, 1년 일찍 보내며 잘 따라 가리라 생각했습니다. 시간이 지남에 따라 '무리였구나!' 하는 걱정이었습니다.

효진이를 보면서 안쓰러움과 부모로서의 부끄러움이 마음 깊이 일기 시작했어요.

그러나 선생님!

일기를 쓰거나 받아쓰기를 하거나 항상 선생님의 관심 안에 있는 효진이를 보면서, 선생님에 대한 존경심이 내 마음속에 자리하고 있습니다.

선생님 진심으로 감사드립니다. 건강하시고 행복한 날들만이 되기를 항상 기도드릴게요.

— 효진 엄마

매서운 동장군의 위력도 제힘을 잃고 한풀 꺾인 듯, 정원 목련 나무에선 금방이라도 하얀 꽃이 터질 것만 같은 착각이 듭니다. 어느덧 우리네 가슴속에 봄을 부르고 있나 봅니다.

선생님 안녕하셨어요?

저희 엄마들에겐 너무나 긴 겨울방학이었습니다.

일 년을 우리 미정이 잘 돌봐주시고 염려해 주심에 감사드립니다. 우리 미정이 조금씩 조금씩 나아지리라는 믿음으로 키우고 있습니다.

조급한 마음 버리고, 기다리며 지켜보는 자세로, 아이와 눈빛을 주고받으며 지내려고 합니다.

그동안 선생님의 염려 전화도 제겐 큰 도움이 아닐 수 없었습니다. 선생님께서 아이들에게 베풀어 주신 그 은혜를 잊을 수 없을 거예요.

우리 아이들을 위해 떡꼬치와 어묵도 자주 사주시고, 학습 준비물을 갖고 오지 못한 아이에겐 준비물까지도 준비해 주셨던, 따스한 마음을 가지신 선생님이, 우리 아이들 가슴속 깊은 곳에 뿌리를 내리리라 믿습니다.

우리 아이들이 어른이 되었을 땐, 가슴속에 크나큰 나무 한 그루씩을 키우고 있을 거예요.

그래서 모두에게 시원한 그늘과 바람막이가 돼 줄 수 있는 훌륭한 사람이 되리라 생각됩니다.

타 학교에 가시더라도 그 웃음, 그 열정 잃지 않도록 건강하십시오.

— 안미정 엄마

선생님을 생각하면 내 기억 속에 아스라이 떠오르는 시골 학교 교정이 생각납니다.

드디어, 작년 여름 송화를 데리고 어릴 적 내 소망을 가득 실어다 준 전라도 땅끝마을을 다녀왔습니다.

어느새 자란 딸아이의 손을 잡고, 너무나 먼 시골 교정을 이십여 년 만에 나들이 하면서, 그 기억은 새로운 충격이었고 행복이었습니다.

내 곁에 같이 동행하는 아이가 내 딸이라는 사실이 더 좋았던 게지요.

언제나 맑고 깨끗하게 그리고 순수하게, 내 어릴 적 모습으로 자라기를 소원해 봅니다.

초등학교 일 학년이 되어, 우리들의 꿈을 이어가는 송화의 모습이 대견스럽습니다.

김용숙 선생님과 송화의 만남은 행운이었습니다.

선생님에게서 꿈을 먹고 소망을 키워가는 송화를 보면서 행복했습니다.

어느새 일 년이 가고 설레던 마음 그대로 새해로 이어집니다.

개인적으로 다사다난이 모자랄 정도로 바빴습니다.

인생이란, 긴 여정이라는 것을 배운 한해이기도 합니다.

삼십여 년을 살면서 가장 벅찬 시간들이었고, 혼자서는 살아갈 수 없는 삶도 있다는 것과, 가까운 사람과의 관계를 정립하며 살아야 하는 것도 내심 알게 됐습니다.

선생님, 조금이나마 감사하는 마음의 빚을 선생님에 대한 기도로 대신하려 합니다.

건강하시고 새해 복 많이 받으세요.

— 송화 엄마

모든 아이들 예뻐해 주시고, 받아쓰기 여러 번 틀리면 메모하시는 것, 수학 시험지 위에 주의점 써주시는 것, 저의 아이 사람으로 키워주시는 것 수도 없이 많아요.

진심으로 선생님께 감사드립니다.

초롱초롱한 우리 반 아이들의 해맑은 가슴에, 착하고 아름다운 꿈들이 선생님과 함께 영글어 가리라 소망합니다.

― 으뜸 엄마

갑자기 불쑥 찾아가서 마음 불편한 이야기로 첫 대면을 해서 죄송합니다.

다행히도 선생님의 적극적이고도 빠른 대처 덕분에 유진이가 안정을 찾고 친구들과 잘 지내고 있어서 무어라 감사의 말씀을 드려야 될지 모르겠군요.

사실 저도 무심히 넘기던 여러 가지 일들을 딸을 통해서 많이 배우고 있습니다.

제 손가락의 아픔을 통해서만이 다른 손가락의 아픔을 가늠해보는 부족함이 많은 교사입니다.

요즘 우리 유진이 많이 달라졌습니다. 오늘도 구구단을 거꾸로 외우면서 걱정이 많더군요. 내일 외우지 못할 지도 모른다면서.

워낙 낙천적인 성격이었는데, 걱정도 하고 잘하려고 노력하는 모습을 보며, 대견하고 사랑스럽습니다.

선생님이 해주시는 말씀을 믿고 열심히 따르려고 하니 선생님께 감사할 따름입니다.

선생님의 관심과 사랑이 유진이를 크게 만들고 있습니다.

이 모든 것이 선생님의 자상하신 가르침 덕분입니다.

바쁘신 데도 메모 적어 보내주셔서 감사합니다.

— 유진 엄마

고생이 많으시죠?

우리 채은이는 조금씩 자신감을 갖는 것 같아요. 예전과는 달리 학교 얘기, 선생님 얘기 말이 많아졌어요. 발표할 기회를 놓친 날이면 억울해 하네요.

그런 채은이의 모습이 저는 아주 흐뭇해요.

선생님의 관심과 칭찬이 채은이에게 자신감을 갖게 만든 것 같아요. 감사드려요.

선생님, 우리 아이에게 더 바라는 게 있어요. 글씨를 바르게 쓰는 것과 친구가 많았으면 좋겠네요. 수정이하고는 친하지만 여럿하고 친해졌으면 합니다.

선생님의 사랑으로 아이들이 부쩍 크는 것 같아 다시 한 번 감사드려요.

— 임채은 엄마

선생님, 짧은 기간이었지만, 호정이로서는 어려울 수도 있었던 때를, 덕분에 쉽게 즐거운 학교생활을 보내고 갑니다. 이태리 가서도 우리 호정이랑 저, 선생님 생각 많이 할 거예요. 이태리에서 삼 년 보내고 다시 오겠습니다.

선생님, 존경합니다. 건강하세요.

— 호정 엄마

선생님 안녕하세요?

따뜻한 봄날이 하루 빨리 왔으면, 간절히 바라는 마음으로 하루하루 지내고 있습니다.

가을 장사도 안 되고, 겨울 장사도 못하면서, 왜 이리 돌아오는 가계수표 막기와 세금 때문에 머리발이 흔들거릴 정도로 힘들게 살고 있네요.

선생님께 문안 편지 한 통 쓰는 여유조차 없이 가게에 얽매어 지내면서 시간을 보냈습니다.

선생님! 선생님 댁에는 이런 마음고생은 덜 하시지요? 정말 정말 힘들게 보내고 있어요.

이 힘든 중에 선생님이 계셔서 기철이 학교생활 걱정은 안했습니다. 진심으로 감사드립니다.

선생님! 또 인연이 있으면 다시 한 번 더 맺었으면 좋겠습니다.

편안히 맡겨놓고, 선생님께 푹 기대고 싶습니다.

이해해주시라 믿고, 쑥스러운 제 푸념 늘어놓았네요.

선생님 진심으로 감사드립니다.

— 기철 엄마

해성 엄마 인사드려요.

선생님, 저는 1년 동안 선생님만 의지하고 싶어요.

연년생인 아이 둘을 돌보다 보니, 해성이한테 사랑의 방법이 잘못 전해지고 사랑 또한 부족했습니다. 선생님께서 일깨워 주셔서 감사합니다.

부족한 사랑을 주위의 관심을 끌기 위한 방법으로 학교에서나 집에서나 해성이 나름대로 그런 행동으로 하고 있었네요.

큰 아이다 보니 제 주관도 갖지 못한 채 매번 해성이한테 큰 아이답게 행동해 주기만을 원했습니다.

저의 부족한 사랑이 이런 결과를 만들었구나, 생각하면 마음 아파요. 아이들 키우는 게 참으로 어렵습니다.

그러나 선생님! 저는 정말 좋아요. 제게서 받지 못하고 느끼지 못한 사랑을 선생님을 통해 방법까지 받고 자랄 것 같아 너무 좋아요.

저는 주인 의식을 가진 아이, 필요한 곳에 필요한 사람이 되기를 원합니다.

집은 부모가 아이의 거울이지만, 학교의 선생님은 또 다른 해성이의 거울로 평생 남을 그림자가 될 거라 생각합니다.

"선생님은 너를 멋있게, 예쁜 마음을 가득 채워주시고 담아주시는 훌륭한 엄마란다" 라고 말해 주었어요.

선생님, 우리 해성이 어리지만 잘잘못을 깨닫고 올바른 아이가 되도록 키워주세요.

선생님은 해성이를 키워주시고 저는 도와주겠습니다.

— 송해성 엄마

은진이 선생님께 올립니다.

포근하던 겨울의 모습이, 이제는 제모습을 찾을 양인 듯 공기가 차갑습니다.

오늘 은진이의 공책에 메모되어 있는 선생님의 가정 통신 메모를 보고서야, 부모로서의 관심과 교육이 잘못되어가고 있는지를 깨닫게 되었습니다.

저희 부부는 맞벌이 하는 사정으로 은진이를 깊이 생각하고 특별한 관심을 주지 못함이 사실입니다.

공부 마치고 집에 오면 기다려 주는 사람도 없고 무섭기까지 하다고 하는 은진이가 항상 가엽고 가슴 아팠습니다.

그 보상으로 무분별한 용돈을 주게 되었습니다. 하지만 이런 방법이 아이의 빈 가슴을 채워주지 못하고 또 다른 외톨이로 만들었군요.

은진이에게 좀 더 많은 관심과 사랑을 쏟아야겠다고 생각합니다.

은진이의 용돈, 아이와 의논하면서 줄이도록 하겠습니다.

선생님의 가정 통신문에 감사드리며, 은진이에 대해 신속한 대응 감사드립니다.

추운 겨울 따뜻하게 보내시길 바랍니다.

— 은진 엄마

어제 선생님 말씀 듣고 난 뒤 많은 것을 생각하게 되었습니다. 많이 고민하다 선생님께 말씀드렸지만, 아이를 키우는 입장에서 어떤 아이를 지목하여 이야기했다는 것에, 제 자신 너무나 부끄럽습니다.

선생님께서 들려주신 이런저런 말씀에, 부끄러웠지만 앞으로 아이를 키우면서 어떻게 처신해야 하는지를 알게 해주신 귀중한 날이었습니다.

집에서도 우리 아이랑 많은 이야기를 나누면서 다른 아이들 입장도 헤아리겠습니다.

선생님 진심으로 감사합니다.

— 승협 엄마

'해바라기'라는 별명을 지어주신 분을 좋아하는 송화!

정성껏 지도해 주신 김용숙 선생님의 마음도 해바라기처럼 맑고 밝았습니다.

2학년을 마무리하는 지금, 아쉬움이 남기에 편지로서 감사를 표합니다.

언제 어디서나 건강하십시오.

선생님의 커가는 모든 제자들, 모두 축복이 깃들기를 바랍니다.

밤이면 잠자리에서 송화와 주고받는 대화는 선생님에 대한 대화가 대부분이었습니다.

꿈을 먹고 사는 우리 아이들!

그 꿈을 키워 주시는 분.

해묵은 것들이,

우악스럽게 덜미를 잡아 당겨도

봄은 슬며시,

저쪽 골짜기를 돌아 나오고 있듯이,

송화 엄마 또한 세 아이들과 함께 꿈을 먹겠습니다.

아직도 심중에 남아 있는 말 한마디는

선생님을 만난 건

"행운이었고, 감사함입니다!"

안녕히 계십시오.

— 송화 엄마

선생님!

1년이란 시간이 정말 빠릅니다.

우리 두일이 설레는 마음으로 입학시킨 것이 엊그제 같은데 벌써 한 학년을 마감하는군요.

첫아이이고, 미숙한 점 많은 제 자신도 갈팡질팡 교육에 자신이 없었어요. 막연히 학교 가면 다 잘하려니 하고 아이의 인성이며 생활에 대해서 별로 신경 쓰지 못했던 점 많이 후회해요.

하지만 선생님께서 우리 두일이의 담임이 되셔서 깊이 감사드려요. 선생님이 아니었다면 우리 두일이 이렇게 착하고 성실하게 변하지 않았을 거예요. 선생님께 말씀드렸지만 두일이 아빠가 백혈

병으로 투병 중이라 핑계 같지만 부모 노릇 충분히 못했어요.

이것저것 많이도 걱정되었습니다. 그러나 선생님께서 엄마 아빠 역할까지 해주시며 우리 아이에게 칭찬과 격려 사랑을 주신 점 정말 감사드립니다.

저에게 또한 위로와 격려로 힘주셨습니다.

선생님 존경하고 사랑합니다. 건강하십시오.

— 두일 엄마

우리 동연이를 의젓하고 바르게 지도해 주셔서 정말 감사드립니다.

한 두 명도 아닌 교실에서의 아이들 모습 보지 않아도 눈에 선합니다. 동연이도, 집에서 뛰고 소리 지르고 말도 안 듣고, 거기다가 말대답하고, 그런 아이들이 40여 명이나 있는 교실, 얼마나 힘드셨겠습니까?

그래도 동연이만 봐도 정말 많이 달라졌어요. 이제 발표도 잘한다니 모두 선생님의 지도 덕분입니다. 골고루 사랑을 주시고 자상하게 가르쳐 주신 덕분입니다.

2학년 때에도 선생님께서 담임을 해주시면 참 좋겠습니다. 저의 욕심이겠지요.

우리 동연이 선생님을 너무너무 좋아합니다. 선생님이 우리 담임 되기를 기원하면서, 선생님 건강하십시오.

— 유동연 엄마

선생님! 아이를 선생님께 맡기고 찾아가 상담 한 번 하지 못해 늘 마음에 걸립니다.

그러나 선생님의 교육 방법이 아이한테 참으로 잘 맞습니다.

그 덕분에 동현이 자신감이 대단합니다. 부모로서는 더 바랄게 없습니다.

자기 반에서 일기도 제일 잘 쓰고, 공부도 제일 잘하는 것 같다니 그 보다 더 큰 자신감이 어디 있겠어요?

모두 선생님의 사랑과 자상하고 친절한 보살핌이라 생각합니다.

진심으로 감사드리며 바쁘다는 핑계로 편지로 마음을 전합니다.

선생님, 죄송합니다.

우리 선생님, 존경하고 사랑합니다.

— **동현 엄마**

존경하는 선생님께

선생님, 감사합니다.

다른 아이들도 같겠지만 우리 주한이 많이 컸어요. 말씨나 행동이 성숙했다고나 할까요?

자기만 알던 우리 주한이가 남들과 의논하며, 타협하며 지내는 모습이 너무나 예쁘고 대견스럽습니다.

저 역시 선생님을 만나고는 진심으로 아이들 사랑하는 법, 학부모와의 관계, 교직에 대한 열정, 그리고 무엇보다도 선생님의 수업 기술, 참으로 소중한 것들을 얻었습니다.

둘째 아이 육아한다고, 육아휴직을 했는데 주한이를 통해서 선생님께 많은 연수를 받은 셈이지요. 좋은 교사가 되도록 노력하렵니다.

또 우리 아이에 대한 기대와 믿음도 주셨어요. 아이에 대한 과대평가도 금물이지만 과소평가 또한 아이의 자신감을 잃게 하는 것이라고요.

아이에 대한 과소평가는 결국 엄마 자신의 욕심이라는 말씀도요. 아이 자체 그대로를 받아들이겠습니다. 저부터 남과 비교하지 않고 마음을 비우고 한 발자국 물러서서 바라보겠습니다.

잘 키워주셔서 감사하고 저에게 많은 것을 배우게 해주셔서 감사합니다. 교직에서 어려운 점 있을 때마다 더 배우렵니다. 지도해주실 거죠?

정말 감사합니다. 행복하세요.

― 주한 엄마

선생님! 일교차가 심한 요즘 건강은 어떠신지요?

모든 아이들을 사랑으로 가르치시고 바른 길로 인도해주시니 진심으로 감사드립니다.

우리 강민이 좋은 선생님 만나게 돼서 우리에게는 축복입니다.

강민이는 어려서부터 문제가 많은 아이였습니다. 말도 5살 때부터 시작했고, 낯을 너무 가려서 엄마 아빠 외에는 이웃 아줌마들은 말할 것도 없이 할머니까지 외면하고, 울고, 피하고, 말도 전혀 안했습니다.

그것 때문에 언어 치료실도 가보고, 병원에서 뇌파 검사랑 정신과 진료도 받아보고, 한약도 먹여보고……

그런데 7살부터는 아주 조금씩 나아지더군요. 아주 조금요.

그러나 많이도 걱정했던 학교생활 잘 적응하는 것 같아 우리 부부는 정말 기쁘게 살고 있습니다.

선생님의 자상하신 보살핌과 아이들과의 관계를 잘 유도해주시는 점이 너무나 좋습니다. 공부 잘하는 것은 이차적인 문제입니다.

선생님, 앞으로도 강민이 때문에 여러 가지로 의논드리겠습니다.

항상 건강하시고 행복하세요.

— 강민 엄마

한 학기 동안 아무것도 모르는 철부지 아이들을 예쁘게 키워주신 선생님 은혜에 진심으로 깊은 감사드립니다.

바깥일을 한답시고 예림이를 잘 챙기지도 못하고 있는, 불성실한 엄마입니다.

학년 초보다 훨씬 밝아지고, 바른 마음씨를 갖게 된 것과 모든 일에 자신감을 갖고 하고자 하는 의욕이 많아졌습니다.

이 모든 것이 선생님 덕분입니다.

2학기에도 더욱더 바른 아이로 자랄 수 있도록 도와주십시오.

선생님 차에 걸 수 있도록 조그마한 것을 십자수로 만들어 봤어요.

작은 것이지만 정성들여 만든 선물은 선생님께 처음입니다.

항상 고맙습니다.

— 예림 엄마

선생님! 연극 비디오테이프 잘 받았습니다.

항상 선생님께 도움을 받네요. 자식을 맡긴 저희가 도움을 드려야 하는데 오히려 저희가 여러 가지로 도움을 받고 있어, 감사하고 고맙습니다.

흔히들 무엇을 하든 첫 단추를 잘 끼워야 한다고 하잖아요.

선생님 같은 분을 만나 아이나 저나 크나큰 행운입니다.

튀는 성격이 아닌 우리 한나, 선생님의 보살핌으로 자신감을 가지고 당당합니다. 그야말로 똑똑해졌습니다.

언제 어디서나 선생님은 한나와 저의 마음속에 남을 분입니다.

날씨가 쌀쌀해졌지요? 몸조심하시고 선생님의 웃으시는 모습 계속 뵙고 싶습니다.

비디오테이프는 엄마들께 전하겠습니다.

— 한나 엄마

안녕하세요?

오늘 소진이에게서 편지가 왔습니다. 딸이 보낸 편지를 우편으로 받으니 새롭고 설레게까지 했어요. 선생님의 아이디어가 참 멋지십니다. 아이의 편지를 읽으며 기분이 참 좋았습니다.

편지 마지막에 '우리 1학년 5반 김용숙 선생님은 정말 훌륭한 선생님이셔!'라고 썼더군요.

선생님 저도 소진이처럼 그렇게 생각합니다.

선생님의 지도 중 가장 좋은 것은 소진이가 책을 읽어요. 그것도 아주 재미있어 하면서요.

그리고 공부도 아주 재미있다고 해요.

선생님, 정말 감사합니다. 기초를 잘 잡아 주셔서요.

선생님! 사랑합니다.

— 이소진 엄마

선생님, 주말 잘 보내셨나요? 문규 엄마입니다.

문규가 세 살 되던 해, 문규 아빠는 박사과정에 들어가면서, 일본 츠쿠바대학 연구원으로 가게 되어 떨어져 살았어요. 두 달에 한 번씩 한국에 들어와 민규와 놀아주다가 다시 일본으로 돌아가는, 이런 생활을 1년 넘게 하다 보니, 제 생활도 불규칙적이고 문규에게도 안정적이지 않았는지, 또래보다 말이 무척 늦었어요.

유치원 선생님 한 분이, 말이 너무 늦으니 혹시 자폐 증상은 아닌지 조심스레 얘기하더라고요. 하늘이 무너지는 것 같았죠.

울며불며, 서울시내 종합병원을 다 다녀 자폐는 아니라는 진단을 받았지만, 정서적인 안정을 위해 아빠는 일본 유학생활을 접고 한국으로 들어오고, 문규는 일 년 반 동안 이대목동병원 음성 클리닉을 다녔어요.

모든 것이 조심스러워 끼고 키운 탓인지, 이렇게 소극적이고 친구관계가 원활하지 못한 것 같아 자책하고 있어요.

1학년 때는 문규의 모든 것을 알려고 발버둥 치며 학교를 매일 왔습니다.

문규는 문규대로 힘들어하고, 저는 저대로 친구 엄마들과 소모적인 일로 허탈해 했습니다.

그런 나를, 민규 아빠 권유로 교육대학원에 입학을 했습니다. 그런데 사람 맘이 딱 끊을 수가 없는지, 또 조바심하고 걱정하고 2학년에 와서도 계속되었습니다.

그런데 선생님!

문규가 집에 와서 학교 얘기를 하기 시작했어요. 선생님이 좋다는 얘기를 많이 해요. 친구들 얘기도 종종하고요.

너무나 기쁘고 감사합니다. 얼마나 행복한지 몰라요.

만약 제가 교단에 서게 되면, 아이들을 향한 선생님의 사랑, 열정 그런 교육철학을 감히 담고 싶습니다.

선생님을 만난 건 문규나 저에게 크나큰 축복입니다.

감사합니다. 아무쪼록 건강 잘 지키세요.

— **문규 엄마**

김용숙 선생님께

우리 아이들 설렘으로 학교에 입학한 지 벌써 일 년이 지나갑니다. 그동안 사랑으로 우리 아이들 가르쳐주신 선생님께 고마운 마음을 어떻게 전해드려야 할지 모르겠습니다.

일 년 동안 많은 추억이 있었고 순간순간 우리 아이들의 수다 속에 선생님의 사랑과 옳은 가르침 그리고 노고가 진심으로 느껴졌습니다.

선생님의 얘기에 얼굴이 활짝 피어 있고, 방학 때면 선생님이 보고 싶다고, 그러다 길에서라도 선생님을 만난 날은 "오늘은 최고의 날!"이라고 외치는 우리 아이들.

엄마인 저 살짝 질투까지 난답니다.

많이 부족한 우리 아이들과 저에게 격려와 희망을 주신 선생님.

우리 아이들 쌍둥이에게 첫 선생님이지만 저도 학창시절 느껴보지 못했던 생애 첫 선생님이십니다.

이제 2학년이 되는 우리 아이들, 다시금 설레면서 선생님과의 헤어짐에 많이 아쉬워합니다. 저 또한 많이 아쉽습니다. 그리고 오래도록 그리워할 것입니다.

선생님, 고맙습니다.

—송유민, 유진 엄마

든든한 버팀목
—선후배 교사들

교사들은 보통 4년에 한번씩 학교를 옮겨야 한다. 그래서 나도 10개 학교를 거쳐 교사로 정년을 하게 되었다.

교장 선생님을 비롯 많은 선후배 교사들과 함께 아동교육이란 한 배를 타고 항해한 세월이 40여 년이다.

이분들의 출발지와 출발 시점은 달랐어도 똑같은 목적지, 아이들을 똑똑하게, 건강하게, 훌륭하게 자라도록 제각기 조금씩은 다른 돛을 달고 함께 항해했다.

유난히 귀감이 되는 대선배님을 존경하며 그분을 조금씩 흉내도 내보았다.

예능감이 뛰어나 우리에게 언제 어디서나 빵빵 터지도록 웃음을 선사하는 후배.

1분 1초도 헛되이 쓰지 않으려고 25시를 살아가며, 오이지 한 개 드려도 고마워하는데 부장인 내가, 비밀리에 주선한 정년 퇴임식에 깜짝 놀라 쓰러지실 뻔한 멋쟁이 선배님의 감사함.

16년이나 병상에 누워계신 어머니 병수발에 어머니 돌아가
시자 아버님마저도 요양병원에 안 모시고, 직접 집에서 손수
요양해드린 효녀 중에 효녀 선배님.

우리 반 아이들 연극이며 합창대회를 적극적으로 관람하고
지지해주며 나를 용기 있게 만들어 주신 만능 탤런트 선배님.

여러 선생님들에게서 부장인 내 생일 축하 메시지를 받아
CD에 담아 선물까지 해준 후배들.

나에게 무얼 배우겠다고, 수업 전에 모여 그날의 학습 내용
을 진지하게 전달받았던 후배들.

이 글을 모으기까지 내 이야기를 들어주고 모든 응원을 아끼
지 않은 우리 이화님들.

엘리트 교사들의 집단이라고 자칭해도 될 만한 열우물 선후
배님들. 어찌 다 열거할 수 있으랴!

그분들과 함께 '교육호'라는 배를 항해했기에 이런 이야기를
쓸 수 있음에 다시 감사한다.

몇 분의 메시지를 여기에 옮겨본다.

부장님

고추절임 일주일 간 맛있게 잘 먹었습니다.

따끈한 사랑도 함께 먹었고요,

이렇게 손수 만든 음식을 나눠주실 여유를 지니신 부장님을 존경합니다.

너무 빡빡하게 살아가며 서로 싫은 감정은 잘 쌓아 두지만, 좋은 감정을 나누는 일에 서툰 일상 속에서 잠시 감사와 여유를 찾을 수 있었지요.

부장님이 곁에 계셔서 참 든든하고요.

주말에 친정에 다녀왔어요. 아직도 모든 양념과 김치와 쌀을 나눠주시는 친정어머님이 제 뒤에 계십니다.

차가 무너져라 실어 주시고는 흐뭇해하시는 어머님, 허리가 많이 굽으신 것을 보고는 가볍지 않은 마음으로 돌아왔어요.

엄마가 싸주신 떡 조금하고, 직접 심고 가꾼 들깨로 만든 기름 한 병 보냅니다. 별거 아니지만 사랑과 존경을 가득 담아서요.

— 박영미 올림

부장님!

어제 유치원 학부모 총회 때 우리 유치원을 위해, 그리고 원생을 위한 좋은 말씀 깊이 감사드립니다. 다시 한 번 부장님의 고우신 마음을 느꼈답니다.

항상 건강하셔서 저희 곁에서 오래도록 빛을 주시길 기원합니다.

— 유치원 황은나 올림

존경하는 김용숙 부장님께

저에게 늘 좋은 말씀으로 격려해주시고, 사랑과 열정으로 아이들을 향한 가르침 잊지 않겠습니다.

항상 건강하시고 즐겁고 행복하세요.

— 문수향 올림

영원한 나의 부장님께

일 년이 정말 빠르게 지나갔네요.

든든하신 부장님의 그늘 밑에서 지낸 시간은 정말 잊지 못할 거예요.

항상 소신을 가지시고, 아동지도와 학년 운영하시는 모습은, 제게 끊임없는 자극과 남은 긴 교직생활에 작은 목표가 되었답니다.

작은 것까지도 함께 나누며 사랑 주시는 속에서 일 년, 참으로 행복했다면 믿어주실까요?

언제나 건강하시고 행복하세요.

— 박덕희 올림

부장 선생님

1년 동안 고생 많으셨습니다.

부장님의 아이들을 향한 열정과 학년 교사들을 배려하고 이끄시는 힘 본받고 싶습니다.

저희들 많이 배웠습니다. 노력하겠습니다.

항상 건강하시고 저희들 부장님 많이많이 사랑합니다.

— 부장님을 존경하는 3학년 일동

김용숙 선생님께

아람단입니다. 좀 전에 해주신 선생님의 조언으로 다음 반부터 아람단 활동을 소개했더니 호응이 참 좋았습니다.

감사드립니다. 홍보는 처음이라 어색했는데 학교도 옮기고, 선배님의 진솔한 조언은 처음입니다.

넘 감사드립니다.

— 김소영 올림

푸르른 오월, 선생님의 자상하신 사랑만큼 햇빛은 눈부시답니다

아이들과 함께 허물없이 생활하시는 선생님을 보면서 저는 부끄러움을 많이 느낍니다. 아이들 앞에서, 교사의 권위가 무슨 큰 특권인양, 마냥 목에 힘주고 언어의 폭력을 휘두른 것 같아 항상 부끄러웠지만, 알량한 저의 자존심이 쥐뿔 무엇인지 선생님 앞에서 고백하지 못했습니다.

아이들의 재주와 특기를 잘 찾아냄은 아이들을 향한 선생님의 사랑이 크시기에 가능하겠지요? 존경합니다.

선생님은 항상 빛을 내는 영롱한 별빛과 같이 아름다운 선생님이세요.

존경과 사랑을 선생님 가슴에 안겨드릴게요.

고맙습니다.

— 한미선 드림

애들아 너희 다 일등이야

1쇄 발행일 | 2019년 02월 15일

지은이 | 김용숙
펴낸이 | 정화숙
펴낸곳 | 개미

출판등록 | 제313 - 2001 - 61호 1992. 2. 18
주소 | (04175) 서울시 마포구 마포대로 12, B-108호(마포동, 한신빌딩)
전화 | (02)704 - 2546
팩스 | (02)714 - 2365
E-mail | lily12140@hanmail.net

ⓒ 김용숙, 2019
ISBN 979 - 11 - 965679 - 6 - 5 03810

값 16,000원